Oscar be

di Luca Bianchini

nella collezione Oscar

Eros - Lo giuro
Instant Love
Se domani farà bel tempo
Siamo solo amici
Ti seguo ogni notte

nella collezione Libellule

La cena di Natale

nella collezione Scrittori italiani e stranieri

Io che amo solo te

LUCA BIANCHINI

SIAMO SOLO AMICI

OSCAR MONDADORI

I edizione Scrittori italiani e stranieri gennaio 2011
I edizione Oscar bestsellers gennaio 2012

ISBN 978-88-04-61540-8

Questo volume è stato stampato
presso Elcograf S.p.A.
Stabilimento di Cles (TN)
Stampato in Italia. Printed in Italy

Anno 2014 - Ristampa 3 4 5 6 7 8

Siamo solo amici

A Joy Terekiev

All'inizio, quando amiamo veramente una persona,
la nostra più grande paura è che smetta di amarci.
Ciò che invece dovrebbe davvero terrorizzarci
è che non smetteremo di amarla.

GREGORY DAVID ROBERTS, *Shantaram*

1

Nella scala dei piccoli dolori, il trasloco viene al secondo posto in assoluto.

Prima c'è il sospetto di un tradimento. A seguire, tutto il resto. La signora Silvana ne era profondamente convinta, anche se non era mai stata tradita e aveva cambiato casa solo una volta. Ma ricordava ancora con orrore quando il suo comò era malauguratamente finito nel canale, e tutti i turisti a fotografare la scena mentre lei gridava: "È del millesettecentocinquanta".

Vedere Giacomo alle prese con gli scatoloni le riaprì quell'antica ferita, ma lui era troppo concentrato per notare qualcuno alle sue spalle.

«Ti avranno mica licenziato?»

«Silvana! Cosa ci fai qui a quest'ora?»

«*Go d'andar dal dottore a farme dar na ricetta...* e mi chiedevo se avevi tempo per un prosecco.»

«Di prima mattina? Alla tua età?»

«Guarda che il prosecco aiuta ad abbassare il colesterolo.»

«Certo. Uno al giorno, però. Ora è troppo presto e poi devo sbrigarmi, perché stanno arrivando dei clienti.»

«*Go capìo, ti me mandi fora da le bale.*»

Lui sbuffò in silenzio, le appoggiò una mano sulla spalla e l'accompagnò alle scale senza fretta. Aveva le accortezze che si usano di solito con le vecchie zie, o con i capi, quando rallenti il passo, nascondi i malumori, cerchi di essere paziente e ti fai venire la gastrite. La rassicurò che non si sarebbe trasferito a Mestre, idea per lei inaccettabile: "Non si può lasciare Venezia solo per affittare casa ai turisti, guidare le macchine e vedere le fabbriche" brontolava. E lui a darle ragione annuendo vistosamente col capo. Sarebbe passato dalla hall al primo piano.

Declinò con fermezza l'ultimo invito per un prosecchino – "ma ci mettiamo dieci minuti" – e riprese a svuotare i cassetti della sua stanza d'albergo. Una stanza che era diventata la sua casa degli ultimi anni e che adesso stava per trasformarsi in un luogo asettico, fatto solo di scatoloni, pennarelli, carta adesiva e da imballaggio.

Durante un trasloco, le case si assomigliano tutte.

Giacomo aveva un modo tutto suo di mettere via le cose, anche quando partiva per un viaggio: cominciava sempre dalle scarpe. Forse perché era la prima cosa che osservava negli altri, anche se si sentiva in colpa a valutare le persone dai piedi. "Che me ne importa se la tua scarpa è un mocassino, una ballerina o uno stivaletto texano?" si diceva. Ma era più forte di lui. Le sue erano tutte simili, con l'impuntura impeccabile, il lucido stucchevole. Le stesse Church's da decenni. Lo facevano sentire più sicuro e in sintonia con l'ambiente in cui lavorava.

Dopo le scarpe, sistemò calze e slip – rigorosamente bianchi – annusandoli per precauzione. Poi ripose i gessati, le numerose cravatte, i libri, i dischi in vinile che custodiva gelosamente, ma che non ascoltava più. Quindi incartò molti oggetti inutili, che ormai avevano perso consistenza ed erano diventati racconti delle persone che li avevano posseduti, o regalati, o semplicemente sfiorati, e lui lì, imbambolato, con la tentazione di eliminarli, eppure li metteva via.

Poi sistemò una scatola di cui non si sarebbe mai sbarazzato, perché lì c'erano i documenti più importanti che gli anni avevano salvato: biglietti d'auguri e d'aereo, inviti personali, ricevute postali, un paio di scontrini di elettrodomestici e, soprattutto, il codice bancomat.

Il codice bancomat gli aveva sempre dato molta ansia, quasi quanto quella per il PIN del telefonino. Un'ansia ingiustificata, visto che girava ogni giorno con una scorta di contanti e i numeri del codice gli ricordavano una notte di Capodanno. Però era terrorizzato all'idea di dimenticare quelle cifre. Una volta, al supermercato gli era venuto il più classico dei vuoti di memoria. Tutta la fila lo aveva guardato in silenzio, come un ladro da mezza tacca, e lui era riuscito ad azzeccare la combinazione solo al terzo tentativo, davanti agli occhi perplessi della cassiera: «*N'altra volta ti te lo scrivi su na man... che xe mejo*» gli aveva detto.

Ci sono timori, anche piccoli, che a quarantotto anni ingigantiscono le tue debolezze come se fossi un bambino. Giacomo aveva il terrore di dimenticare il codice bancomat e dover chiedere soldi in giro. Era troppo paranoico per trascriverlo su un foglietto ("e se mi rubano il portafoglio?") o sul telefonino ("e se mi rubano il telefonino?"). Poteva fare affidamento solo sulla memoria e, periodicamente, sul ripasso. Così aveva tirato di nuovo fuori la scatola di latta per rivederlo. Eccolo lì, quel foglietto trasparente: 31999. Lo ripose subito, e riaprì il portafoglio per verificare i contanti. Poco più di duecento euro. La banconota più grande sembrava strizzargli l'occhio, e gli provocò un'eccitazione che, fino ad allora, aveva cercato di rimuovere: era mercoledì. Il lunedì dei parrucchieri, il sabato dei bancari, il giovedì degli gnocchi nulla valevano al cospetto del suo mercoledì.

Stava per rimettere via la scatola quando palpò un ammasso disordinato di carte. Vista la roba ancora da spostare, non era il momento migliore per leggere il passato, ma non c'è mai un momento migliore per leggere il passato. Quando capita, la testa sospende i giudizi, sospira, e ricorda.

Una cartolina da New York mandata dal signor Nazzaro; un invito alla prima della *Bohème* diretta da Zubin Mehta; biglietti da visita di persone che non avevano più un volto; una polaroid di una ragazza senza nome davanti alla Tour Eiffel; un disegno a china che raffigurava il San Carlone; lo scontrino pinzato di uno stereo portatile.

Per un attimo, Giacomo vide sfilare davanti a sé persone e cose, senza riuscire ad afferrarle, come se i ricordi fossero acqua corrente che ti accarezza le mani senza lasciare tracce, mentre il tempo ti mette al muro chiedendoti: "Sarebbe questa la tua vita?".

Anche se al tempo, perché si ricordi di te, interessano soltanto l'amore, l'arte, i figli, e la morte. Gliel'aveva detto una volta la signora Silvana, e non se l'era più dimenticato. Lui non aveva un amore da condividere né dei figli da proteggere, non sapeva dipingere né voleva morire. Era solo al mondo. Aveva un lavoro, un rimpianto e una speranza. A volte si concedeva un po' di sesso.

Dall'ammasso di fogli spuntò un plico di lettere legate da un nastro. Le scorse lentamente, attratto dalle calligrafie, fino a fermarsi su una che lesse al *ralenti*, muovendo le labbra come se fosse straniero.

Caro Giacomo,

volevo ringraziarla per quanto ha reso unico e indimenticabile il nostro soggiorno a Venezia. Io e mio marito abbiamo amato l'atmosfera cordiale che si respira qui, la sua eleganza, quell'odore di cera che si sente prima di entrare in camera.

Mi sarebbe piaciuto conversare ancora con lei, come abbiamo fatto ieri pomeriggio, quando mi ha accompagnato da Nico alle Zattere perché avevo voglia di un gelato. Ecco, quel gianduiotto da passeggio annegato nella panna sarà il ricordo più dolce che mi porterò dalla laguna. Soprattutto la sua faccia imbarazzata nel vedere una madamina *come me che si sbrodola come un'adolescente. Ma io ieri mi sono sentita di nuovo ragazza, e lei sa a cosa mi riferisco. Paura e pudore non mi permettono di scriverle di più, ma credo possa immaginare.*

Non vorrei però tediarla con questi sentimentalismi, sono una donna dalla lacrima facile, ma sa com'è, noi torinesi non siamo così abituati a esprimere le nostre emozioni (a stento ho trovato il coraggio di scriverle queste poche righe).

Se le capiterà di venire a Torino, la prego di farmelo sapere. Sarebbe un piacere per me ricambiare questa fantastica passeggiata, e non solo.

Io, comunque, non la dimenticherò.

Elena

Giacomo ripose la lettera senza battere ciglio.

Intorno a sé, le scatole ancora da sistemare. Dentro la sua testa, la voce di Elena. Per un attimo, ma solo un attimo, dimenticò che era mercoledì.

2

Non aveva dubbi: era venuto male.

Non male. Da schifo. "Dev'essere per questo che hanno inventato le macchine digitali" pensava Giacomo. "Lo hanno fatto per quelli come me che s'imbarazzano davanti all'obiettivo, incapaci di sorridere a comando e la volta in cui provano a farlo sembrano dei cretini. Se poi ti capita la giornata no ti escono gli occhi chiusi."

Salvo Brancata non era così. Lui sapeva stare in posa come un attore, felice di essere al mondo e di gioirne con tutti. I suoi occhi neri ti fissavano con l'orgoglio di chi per nessuna ragione cambierebbe qualcosa di sé. Abbracciava Giacomo con forza, in quella foto spuntata tra le pagine di Maupassant, e con il braccio gli cingeva il collo quasi a volerlo possedere. Lui invece stava impalato, le mani lungo il corpo, a provare a dire *cheese*. Erano tutti e due in pantaloncini e maglietta, sudati, dopo una partita. Toccò la foto con le dita, tratteggiando le due sagome, e gli parve di risentire quella mano su di sé.

«Vuoi una mano, mister?»

Mister? L'avevano chiamato in tanti modi, in quell'insolito ruolo che ricopriva: "cameriere", "portiere", "direttore", "concierge", "signore", "dottore". Una volta anche "ehi, capo". Ma "mister" mai. Giacomo tolse la consueta maschera di cortesia e s'irrigidì per un attimo, cercando di nascondere la foto a quella vista estranea. Un ragazzo si era affacciato alla sua stanza, non avendo trovato nessuno nella hall.

«No, la ringrazio. Non si disturbi.»

«Ma non è disturbo, è un piacere. Io vorrei sempre incontrare qualcuno che mi dà una mano.»

«Io no.»

Prima la signora Silvana, ora un emerito sconosciuto. Il "mister" si rese conto che stava per perdere il controllo, ma non era abituato a farsi vedere in pubblico così, con la cravatta allentata, i capelli che lo rendevano più simile a un quadro impressionista che a un mosaico bizantino. Non si prevedeva l'arrivo di nessuno prima di mezzogiorno, per cui gli era sembrato il momento migliore per spostare i bagagli. Anche se a muoversi, più che i bagagli, erano stati i ricordi. Giacomo nascose la foto nel libro cercando di non dare importanza a quel gesto, ma aveva il viso di chi si sente scoperto in un momento troppo privato.

«È ospite della locanda?»

«Sì. Ma sono con una ragazza che mi paga *tutto*, capito? Anche tu dormi qui, stasera?»

«Io dormo qui da quindici anni. Sono il concierge.»

«Cosa sei, scusa?»

«Il portiere, diciamo. Anche se il mio ruolo è un po' più complesso.»

Questo è quello che rispose. In realtà, avrebbe voluto dire: "Perché secondo lei vengo male nelle foto?".

«Anche io facevo il portiere. Prima al Santos e poi al Mirasol.»

«E dove sono questi alberghi?»

«Ma non sono hotel... sono squadre di calcio brasiliane.»

Alla parola "calcio", Giacomo ebbe un nuovo momento di distrazione, ma si sforzò di concentrarsi. Non era solito trascurare l'interlocutore. Trasformò l'imbarazzo in un sorriso accennato, e cercò di resistere alla tentazione di guardargli i piedi. Alla fine cedette: scarpe da tennis usate a dismisura, forse taroccate, quindi estrazione semplice ma coraggio spiccato. Si trovava davanti un individuo assai diverso rispetto ai clienti con cui aveva a che fare abitualmente, a parte i soliti americani. L'uomo lo stava fissando appoggiato allo stipite della porta, senza distogliere lo sguardo, e a lui per un attimo parve di rivedere il volto della foto. Rimise il libro nello scatolone e si rese conto che non aveva ancora dato il benvenuto al nuovo ospite della locanda. Si alzò per andargli incontro e stringergli la mano.

Anche se era un albergo raffinato, tutti lo chiamavano affettuosamente "la locanda". "La locanda dell'Abadessa", per la precisione, perché in origine era un convento. Nei secoli sarebbe diventato di tutto, da casinò a boudoir, prima di tornare alla sua vocazione originaria: un luogo di culto. Quattordici stanze nel cuore di Cannaregio, a due passi da San Marco ma distante anni luce da San Marco – il sestiere – con le sue calli intasate e i negozi tutti uguali. A Cannaregio si respirava ancora l'aria della Venezia che appartiene a tutti, ai turisti e ai suoi abitanti. E i turisti che sceglievano di soggiornare qui trovavano in Giacomo il portavoce perfetto. Perché aveva girato il mondo e ne aveva carpito i segreti, e perché amava Venezia più dei veneziani. O forse aveva soltanto avuto il privilegio di scoprirla da adulto – l'amore maturo – preferendola a Roma e Parigi.

Per togliere gli occhi da quelle scarpe logore, si guardò le mani: erano nere di polvere. Cercò di nasconderle, fece un cenno di attesa, e rientrò in quella che non sarebbe più stata la sua casa. In quindici anni aveva già lasciato tre stanze, nel tentativo di cambiare vita tre volte. Ma a ogni occasione aveva finito per ricostruirsi il suo mondo di piccole certezze. Questa volta aveva semplicemente constatato che erano passati cinque anni dall'ultimo trasloco, e gli era sembrata una decisione più che ragionevole.

Gli ultimi scatoloni erano disposti in una composizione geometrica, e il letto immacolato dava all'ambiente il senso di un'installazione contemporanea: *Trasloco n. 4*. Ci mancava un televisorino con il baffo e l'opera era pronta per la Tate Modern. Dalla finestra entrò un colpo di luce netta, forse un riflesso, che squarciava la stanza come in un quadro di Caravaggio.

Giacomo si lavò le mani godendo nel vedere l'acqua nera, diede un'aggiustata ai capelli e alla cravatta, e tornò fuori a salutare l'ospite. Ma l'ospite era sparito, ed era scomparso pure lo scatolone con il libro e la foto dentro.

Salì di corsa le scale verso la nuova camera. Il ragazzo, visti gli altri contenitori parcheggiati davanti alla stanza, aveva deciso di dare una mano. Adesso era a suo agio come se fosse a casa propria, seduto sul davanzale della finestra che dava sul piccolo giardino, il sole di nuovo scomparso nella foschia. Più che sul capolavoro di Maupassant, si era concentrato sullo scatolone con le scarpe.

«Complimenti, bella roba, si vede che guadagni bene. Queste che ho io me le ha portate un amico dalla Thailandia.»

L'aveva detto che erano taroccate.

«Devono essere comode.»

«Lo so che non ti piacciono. Ma a me le scarpe come le tue fanno venire le vesciche. Anche il mio titolare lo sa.»

«Capisco.»

«Bene, sei timido, me ne vado subito. Però complimenti. Hai scelto una buona stanza: da qui puoi tenere d'occhio chi entra e chi esce, mentre di là vedevi solo il fiume e non passa mai nessuno.»

«Si sbaglia. L'ingresso principale è proprio sull'acqua. E mi scusi se la correggo, ma non si tratta di un fiume.»

«Vabbè, del mare.»
«Non è nemmeno il mare.»
«E allora cos'è?»
«È Venezia. Lei è forestiero, vero?»
«Brasiliano, anche se la mia bisnonna era spagnola. Di Siviglia.»
«Lei è il signor...»
«Pato.»
«Pato?»
«Rafael Pato... ciao.»
«Giacomo, molto lieto.»
«...»
«Rafael, mi scusi, ma vorrei mettere ordine nella mia nuova stanza, e vorrei farlo da solo. Ho un sacco di cose da sistemare. Lei potrebbe scendere nella hall e farsi offrire un prosecco da uno dei ragazzi.»
«Perché non vieni anche tu? Metti a posto dopo.»
L'invito tuonò nella camera come un guizzo esotico, ma Giacomo non era abituato né all'insistenza né alla sfacciataggine. Anche se Rafael aveva una luce diversa negli occhi, un misto di infantile e adulto, di astuto e tonto. La voglia di fare senza il timore di fallire. E continuava a sorridere, cosa che a lui non era mai riuscita.

In realtà, quella di Rafael era una posa. Quel giorno gli era venuta una gran paura e allora cercava di esorcizzarla mostrandosi adrenalinico e disponibile, come se l'azione potesse domare le emozioni. Sua nonna Esperança glielo diceva sempre: "Tu pensa solo a correre. Anche quando cadi, non basta rialzarsi, bisogna ricominciare a correre. Solo così non sentirai il dolore". E lui l'aveva presa alla lettera, anche se col tempo aveva capito che sua nonna non sempre aveva ragione.

Malgrado l'invito allettante, Giacomo non riuscì ad accettare, e Rafael volò via senza tentennamenti. Appena la porta si chiuse, ritirò fuori la foto dal libro. Il suo ricordo era stato interrotto, e aveva bisogno di riprenderlo da lì. Provò a convincersi che non era venuto poi così male. Poteva sorridere un po' di più, certo, e magari cercare anche lui di abbracciare Salvo. A quell'epoca, alla fine del collegio, erano una mente sola: si vestivano allo stesso modo, a tavola stavano seduti accanto, e si prestavano le cose senza restituirsele. Salvo gli aveva addirittura passato una ragazza, una volta, perché voleva che lui perdesse la verginità.

I due condividevano anche la stessa situazione familiare.

Entrambi orfani.

Entrambi cresciuti dagli zii.

Entrambi sostenuti da un parente senza figli che aveva deciso di farli studiare lontano da casa, a Stresa, sul lago Maggiore, dove si trovava una delle migliori scuole alberghiere d'Italia.

In quei lunghi weekend senza visite, mentre gli altri compagni tornavano a casa, avevano ricostruito il loro nucleo familiare unendo simbolicamente le stanze confinanti. Un ambiente da cui, un giorno, si sarebbero di colpo allontanati.

In cuor suo Giacomo sentiva che quella Polaroid, senza saperlo, presagiva già come sarebbe finita la loro amicizia. Se solo fosse riuscito a sorridere, forse il finale sarebbe stato diverso.

Si sedette sullo scatolone guardando inerte tutti gli altri. Si sentiva fiacco e inutile. Ma il malumore svanì quando si rese di nuovo conto che era mercoledì, e avrebbe rivisto Frida.

3

Lo stava aspettando con la vestaglia rosa, come piaceva a lui.

In realtà Frida riceveva tutti con quella vestaglia, ma amava far credere a ognuno che la scelta fosse personalizzata. Sapeva che a Giacomo non andava troppo parlare, almeno non prima di quel sesso un po' meccanico che si concedeva una volta a settimana, tutti i mercoledì. Era il suo momento di stravaganza, gli ormoni in gola e le mutande strette, le mani a cercare il telefono e comporre il numero con l'eccitazione di un militare. Riusciva solo a chiedere: "Come sei messa ora?", sapendo già che Frida lo stava aspettando.

Quel pomeriggio, dopo la fatica di un trasloco che aveva rimesso in gioco il passato, le carte e le scarpe, fare un po' di amore sarebbe stato un bel modo di dimenticare le malinconie.

Lei abitava a Castello. Per arrivarci, Giacomo preferiva passare dalle Fondamente Nuove piuttosto che da San Marco, per evitare pizze al taglio e facce giapponesi che lo intristivano un po'. La laguna aperta, invece, gli illuminava lo sguardo. Anche in quel pomeriggio di luce fioca, sotto un cielo immobile in cui provavano a volare i gabbiani. Sullo sfondo, San Michele e Murano, l'isola dei morti e quella dei vetri, il cimitero e la fucina, il nero e l'arcobaleno in uno sguardo solo. Si sentiva talmente in fibrillazione da non riuscire nemmeno a camminare rilassato. Era convinto che tutti si accorgessero della sua erezione, per cui guardava le persone con la faccia inebetita di chi si deve scusare senza ragione. I passanti, i pochi che pensavano qualcosa, lo scambiavano per uno di quei disgraziati che han perso tutto al casinò. Ma lui al casinò ci mandava solo i clienti che gli erano antipatici, quando trattavano male i suoi "ragazzi".

Li chiamava così, i fantastici tre, quelli che a turno stavano in reception ad accogliere gli ospiti, a preparare i conti e a sentire le lagne. A dire "sissignore". "Prima di ascoltare la domanda, la nostra risposta è sempre sì" gli ripeteva almeno una volta al giorno, e loro aspettavano che voltasse le spalle per fargli il verso. "*Petacoche*", rompiballe, borbottavano in veneziano. Chissà quanto avrebbero riso, se lo avessero visto per salizada de le Gate eccitato come Tiger Woods all'apice della carriera.

La casa di Frida si trovava in Corte Nova, all'ultimo piano di un palazzo che si affacciava su due pozzi. L'appartamento aveva pareti rosa, grandi quadri a dominante gialla – il giallo dei limoni –, il manifesto di *Pulp Fiction* dentro una cornice rococò. Quella foto lo faceva impazzire. La sigaretta in mano, la posa sfacciata, lo sguardo di Uma Thurman che vale più di mille provocazioni.

Fu la prima cosa che vide, appena spalancò la porta accostata. La chiuse accompagnandola con la mano, facendo meno rumore possibile.

«È permesso?»

«Entra, baby. A te è permesso tutto, lo sai.»

L'aria profumava di ambra e candele. Il sogno era di nuovo realtà, ed era quasi nudo. Giacomo si avventò su quel corpo senza preamboli, a cercare labbra pronte a dire parole che un maschio vuole sempre ascoltare, soprattutto se paga.

«Cosa aspetti a sbottonarti quei pantaloni?»
«Sono il primo, vero?»
«Oggi sì.»
«Non ti credo.»
«Ti ho detto di sbottonarti quei pantaloni.»

Mentre Frida parlava, non si spostava di un millimetro dalla dormeuse su cui si era adagiata come se abitasse a Villa Borghese. La vestaglia aperta e le tende chiuse, il pizzo bianco e le luci spente. I due avevano la confidenza di amanti collaudati, quando non devi dire più niente perché tutto è già stato detto, e vuoi solo che venga ripetuto.

Come la più subdola delle droghe, il sesso dava a Giacomo un sollievo istantaneo. Di colpo i silenzi e le insicurezze non esistevano più. Gli imbarazzi accumulati trovavano una via d'uscita senza barriere, la libido che cancella ogni cosa – il dolore, lo spazio e il tempo – con l'impeto di un vulcano islandese. Frida gridava di piacere, anche se per abitudine, ma questo a lui non interessava più di tanto. Non gli interessava nemmeno che non lo baciasse. In fondo sapeva che era uno scambio equo e solidale. Quel piacere seriale gli veniva infatti concesso con un lauto sconto: cento euro per un'ora che ne valeva trecento, a volte di più, con selezione all'ingresso. Ma ci sono gesti di riconoscenza che vanno al di là delle bassezze pecuniarie – la riconoscenza è un'arte – e Frida se lo ricordava bene.

Era cominciato tutto una sera di due anni prima. L'aveva chiamata un industriale, il cognome stampato sulle lavatrici, uno di quelli che ogni tanto dice la sua al Tg3. Gliel'aveva segnalata un amico e lui l'aveva prenotata subito. Lei all'epoca divideva la casa con un'altra studentessa e "riceveva", diciamo così, solo fuori. L'uomo-lavatrice aveva una cena di rappresentanza con un gruppo di politici e avrebbe gradito un dopocena. Troppo riconoscibile lui e troppo evidente lei per portarla in uno di quegli hotel con molte stelle e tanti occhi. La locanda dell'Abadessa era la soluzione ideale. Appena arrivati, Frida si era resa conto di non avere con sé i documenti, e il cliente aveva provato a bofonchiare lei-non-sa-chi-sono-io ma senza poter insistere più di tanto. Fu Giacomo a prendersi la responsabilità. Più che il cognome dell'uomo-lavatrice, era stato lo sguardo di lei a colpirlo. Scuro, deciso, consapevole. E una gomma masticata con grazia. Una ragazza con un gratta e vinci da cinquecento euro che aveva solo la fotocopia del biglietto. L'aveva fissata qualche istante – lei continuava a masticare – e non aveva avuto dubbi:

«Accompagnate i signori nella suite. Sono miei ospiti.»

Il gigante e la farfalla avevano abusato della stanza per un paio d'ore. Una camera con un letto a baldacchino e affreschi di Giorgione – il passato glorioso – ma all'uomo-lavatrice interessava solo il suo presente tra le gambe. Al piano di sotto, Giacomo aveva atteso i tempi della centrifuga con uno strano compiacimento sul volto. Compiacimento che si era trasformato in vergogna quando l'uomo-lavatrice aveva lasciato cento euro di mancia per ringraziarlo del favore. La ragazza invece l'aveva guardato appena. Era uscita senza salutare ma un paio di giorni dopo era riapparsa per lasciargli un biglietto: "Grazie a te mi sono pagata le vacanze. Chiamami se ti va. Saprò farti divertire". Aveva aggiunto il numero e uno scarabocchio. Giacomo ci aveva pensato su, cercando di togliersela dalla testa, ma certe parole sanno mettere al tappeto anche il più razionale dei maschi. Dopo il primo rapporto-omaggio, Frida gli aveva proposto un *nice price* da cento euro a seduta, previa telefonata. No citofonate. No agguati sotto casa. No segnalazione ad amici. Ma Giacomo non aveva amici. Precisò: «Solo clienti, colleghi e conoscenti».

Così, dapprima in modo timido e poi con scadenza inesorabile, erano cominciate le scopate del mercoledì, perché alla locanda c'era meno lavoro: "È come se pagassi un piccolo affitto" si diceva tra sé quando si faceva i conti in tasca.

Per Frida, Giacomo era un cliente diverso dagli altri. Aveva un profumo particolare, che sapeva di cassetti della biancheria, e pur essendo un animale come tutti, aveva un certo *savoir faire* anche nei gesti più istintivi. "Se uno è galantuomo è galantuomo anche a letto" pensava, anche se l'esperienza l'aveva smentita in più di un'occasione.

Dopo il sesso, a volte bevevano un bicchiere di vino sul piccolo balcone. Stavano fuori anche quando non faceva bel tempo, perché la vista di quei tetti valeva a prescindere dal cielo.

La routine si ripeté precisa pure quel giorno. L'aria era sempre più bianca, come quando la vita sembra prendersi una pausa di riflessione e il tempo non sa che tempo fare.

«Senti, Giacomo, vorrei chiederti una cosa...»

«Sta per scattare l'aumento dopo due anni?»

«Ma no, dài. È una cavolata, ma è da stamattina che ci penso.»

«Dimmi.»

«Non trovi che io assomigli a Gesù?»

«SCUSA?»

«A Gesù. Nostro Signore Gesù Cristo. Guardami... mi manca solo un po' di barba... ma se mi metti su la corona di spine siamo proprio uguali. Hai presente il Bellini che c'è in San Giovanni e Paolo?»

Lui scoppiò a ridere, soprattutto perché era vero. Frida assomigliava a Gesù. I capelli ricci e appena mossi, gli occhi disegnati, le sopracciglia che vanno un po' all'insù e rendono drammatico ogni sguardo. L'aveva sempre saputo che era una ragazza diversa da tutte. Pur vivendo a Venezia, il luogo che lei amava di più era un ipermercato: il Panorama di Marghera. Lì s'illudeva di essere uguale agli altri. Non c'erano i belli, i brutti e i giusti. C'erano solo le offerte, le code, i carrelli, e i bambini. E ognuno andava per la sua strada senza pensare a niente. A volte, per scappare dagli sguardi dei vicini che inevitabilmente sentivano le sue grida di piacere, lei prendeva l'autobus e si rifugiava a Marghera. Ciondolava ore, in quelle corsie, confrontando i prezzi, vagliando le scadenze, leggendo la composizione sulle etichette. Ci sarebbe tornata anche quella sera.

Giacomo diede un'occhiata all'ora e si rese conto che era tardi, troppo tardi.

La salutò con la mano – più che Gesù, Maria Maddalena – e si affrettò verso la porta. Prima di dire addio alle pareti confetto, lasciò la solita busta sul tavolo.

4

Quando non la vedevano arrivare per l'aperitivo, i ragazzi pensavano che la signora Silvana fosse malata. O morta.

Ma lei sopravvisse anche quella sera, presentandosi per il consueto prosecchino delle sette. Nessuno riusciva a capire la ragione di quell'abitudine, né perché mai un'anziana signora frequentasse un hotel da turisti. Giacomo stesso non ricordava come l'aveva conosciuta, come se avesse sempre fatto parte dell'Abadessa.

Per tutti, era "la signora col cappello". Non lo toglieva mai, e ne sfoggiava quattro all'anno, uno per ogni stagione. Sedeva nella poltrona ad angolo, davanti alla finestra che guardava l'acqua, e quando la trovava occupata chiedeva alla persona di spostarsi. Viveva con un architetto, con cui non aveva nessuna relazione, se non di antica amicizia. Nelle calli si era mormorato tutt'altro, in passato, ma la signora Silvana se n'era sempre fregata: "L'amicizia non ha né sesso né età" ribatteva alle malelingue.

Passava ore a leggere i quotidiani, soffermandosi sempre sui necrologi. Le piacevano da matti. In particolare cercava di scovare i messaggi in codice, quelli degli amanti nascosti o degli amici perduti, delle persone che non avevano mai avuto il coraggio di dire al defunto che gli volevano bene. Ciò che più la irritava erano i nomignoli dei parenti: possibile che in un momento così solenne si dovessero firmare tutti Bubi, Bibi, Cicci, Pupi? "Cognomi nobili e nomi da cani" diceva a mezza voce.

Ma ciò che la urtava veramente, e non perdeva occasione di ribadirlo, erano i libri di Dino Buzzati. Si inacidiva quando sentiva che *Il deserto dei Tartari* veniva letto nelle scuole: "Ma cosa gliene frega ai ragazzi di uno che passa la sua vita a guardare l'orizzonte?". Le sue polemiche erano deliziosamente anacronistiche e lei, che se ne rendeva conto, diceva che il tempo non lo subiva ma lo attraversava, in modo da poterlo capire.

«*Ti me nascondi qualcossa, Giacomin!*»

«Perché dici questo?»

«In tanti anni che ti conosco, non sei quasi mai arrivato in ritardo all'aperitivo, a meno che tu rientrassi con un cliente dell'albergo.»

«Possono sempre succedere degli imprevisti, mia cara.»

«*Ghe sbiro mi...* lo vedo dai tuoi capelli *che tipo de imprevisti...*»

Giacomo impallidì seccato. I capelli in disordine due volte in un giorno non gli era mai capitato. Si passò una mano in testa e prese posto sul divano di fianco a un signore inglese.

«Allora, il dottore te l'ha fatta la ricetta?»

«Sì, ma è diventato fiscale... devo tornare ogni mese. Ma chi ha voglia di fare la fila con tutte quelle vecchie piene di acciacchi?»

«L'importante è che sia bravo.»

«È bravo perché è sempre stanco. I bravi dottori devono essere o molto giovani, o molto stanchi.»

«Quante ne sai. E come sta l'architetto?»

«*Benon! Quelo ne sotera tuti quanti...* c'è la Liuba che gli fa da mangiare, e che *ghe stira tute le camise...* da quando è arrivata lei in casa non posso più mettere becco su niente! Ma cambiamo discorso, altrimenti mi arrabbio. Ho conosciuto il vostro nuovo arrivo... mi ricorda vagamente il mio Kenneth.»

Il signore inglese che stava imparando l'italiano tese le orecchie.

«Ma di chi parli?»

«Rafael! Il ragazzo che ti ha aiutato nel trasloco.»

«E quando l'avresti conosciuto?»

«Era qui poco fa. Per fortuna che c'era lui altrimenti sarei rimasta sola. Comunque *el xe proprio compagno del me Kenneth... i stessi oci... la stessa anda...*»

E mentre Giacomo si versava un'ombra di prosecco, la signora cominciò a elencare le somiglianze tra un ex portiere brasiliano e il grande amore della sua vita: l'attore Kenneth More, che vinse la coppa Volpi negli anni Cinquanta. Lei all'epoca era responsabile di un ufficio che gestiva le telefonate internazionali, e quando Kenneth le era apparso, era stato amore a prima vista. Lui aveva dieci anni più di lei, ma per lei non era importante. Lui aveva una relazione in corso, ma per lei non valeva niente. Era troppo bello, e soprattutto aveva lavorato nell'aeronautica da cui era stato cacciato per cattiva condotta. Quanto bastava per renderlo irresistibile agli occhi di chi non aveva ancora bisogno di un cappello per nascondere i segni del tempo. Da quel sogno, realizzato per poche notti, non si era più svegliata.

Per questo Giacomo le voleva così bene.

A loro modo, erano simili: due dischi inceppati su una nota d'amore. Lei, appesa al ricordo dei giorni con Kenneth. Lui, nell'attesa di una donna che prima o poi sarebbe tornata. Intanto si tenevano compagnia, facendo di quell'abitudine alcolica un'arma di difesa, uno strumento per dare ritmo ai giorni troppo uguali. Anche se, quel giorno, il ritmo era stato spezzato dallo spirito carioca sbarcato in laguna.

Rafael si materializzò davanti a loro fresco di doccia e livido di rabbia, il volto di un bambino di colpo abbandonato alla sorte, altro che carnevale. Giacomo lo invitò a sedere, sentendosi in colpa perché era il gestore della locanda ma in realtà appariva come un semplice cliente. Gli succedeva tutte le volte che una persona nuova lo vedeva al lavoro: quello era il suo stile, ed era lo stile che il conte Gallina voleva fosse perseguito nella locanda. Ambiente austero e atmosfera informale, per mantenere acceso il ricordo di una casa che aveva fatto un viaggio nella storia.

Ma in quel momento Rafael non vedeva gli stucchi, i decori, e neppure i tappeti. Vedeva solo il grigio della delusione.

«La mia ragazza oggi non viene. Dice che hanno bloccato la campagna che doveva fare, quindi si ferma a Milano.»

«*E che problema ghe sarìa, fiol mio?* Non c'è niente di più eccitante di una notte a Venezia da solo.»

«Cara signora, io non sono venuto per fare il turista ma per stare con lei, capito? E se lei non viene non so neanche se mi bastano i soldi per pagarmi la camera.»

«Lo sai che assomigli a Kenneth More?»

«A chi?»

Com'era diverso, Rafael, rispetto a poche ore prima, quando era apparso come un sole portando con sé quella luce che a novembre è così preziosa. Giacomo capì che la situazione sarebbe potuta diventare sconveniente e cercò di non arrecare disturbo agli altri viaggiatori. Coppie di stranieri, per lo più, che sorseggiavano il loro aperitivo in silenzio.

«Signora Silvana, sono quasi le otto... cosa penserà l'architetto?»

«*Mi mocari, go d'andar via...* altrimenti la Liuba mi mette il veleno nella minestra.»

Balzò in piedi e si avviò verso l'uscita, maledicendo se stessa per aver perso di vista l'orologio. In realtà conosceva benissimo i tempi del prosecco e della relativa conversazione. Era stato il ritardo di Giacomo a trarla in inganno, e lei se ne accorse. Salutò con un cenno del capo, disse "ossequi" al ragazzo alla reception e fuggì verso il Campo del Ghetto dove abitava.

La scena teatrale non riuscì a riportare il sorriso sul volto imbronciato di Rafael. A vederlo così, sembrava più vecchio dei suoi ventiquattro anni. Gli occhi neri e grandi forse avevano visto troppo. Per un attimo li chiuse, e Giacomo non si mosse. Sapeva aspettare, e soprattutto sapeva mettere le persone nelle condizioni di parlare. E il modo migliore, aveva sperimentato negli anni, era non aver paura dei silenzi.

«Sono molto incazzato, Jack. Molto.»

«JACK?»

«Jack, Giacomo... insomma... il tuo nome...»

«Se lo dice lei... però non deve essere arrabbiato. Questa ragazza le ha solo detto che oggi non arriverà. Ci ha anche chiamato l'agenzia per scusarsi.»

«Ma tu hai capito che è successo?»

«La solita storia: il movimento "Venezia ai veneziani" non vuole gli stranieri nelle pubblicità, e hanno fatto un sit-in davanti al Comune.»

«E cos'è un sit-in?»

«Un sit-in è quando ti siedi davanti a un ente per protestare.»

«Che bel modo di protestare. Senti, Jack: anche io lavoro, faccio il barman. E ho preso due giorni di ferie per poter stare con lei, per capire...»

«...»

«Per capire se è giusto credere al destino o se è una cosa che esiste solo nelle telenovelas.»

Giacomo lo fissò, chiedendosi che fine avesse fatto Sonia Braga.

Il destino, per lui, non era altro che un nome: Elena. E crederci significava non avere più paura degli anni, sapere che non importa come hai vissuto ma solo come andrà a finire la tua storia. Perché tutte le storie, anche le più piatte, possono regalare un grande finale. L'importante è non farsi intimorire dal presente né condizionare dagli altri, e continuare ad aspettare la tua Elena – Godot – senza sentirsi inutile o sentimentale, perché è solo il finale che conta. Era però un pensiero troppo intimo perché lo potesse esprimere ad alta voce.

Rafael lo guardava nell'attesa di conferme, o di conforto. Era a terra e non riusciva a rialzarsi per rimettersi a correre. Giacomo non pareva essergli di grande aiuto: lo scrutava inerte, stanco del suo trasloco e appagato dal suo pomeriggio orgasmico. Si mise a posto la cravatta, mentre voci lontane di ragazzini scorrazzanti gli fecero tornare in mente la strada su cui si affacciava il collegio.

La sua camera e quella di Salvo Brancata erano così uguali da mettere in imbarazzo: stessi libri, stessa radio, stessi poster di Gianni Rivera, Ornella Muti e Rocky Balboa. E per quanto i loro caratteri sembrassero antitetici, quando si trovavano insieme era come se di colpo si assomigliassero. Due gemelli eterozigoti, così li vedevano professori e compagni, che un po' pativano quella complicità che non tutti riuscivano a provare. Ma il meglio lo davano quando giocavano a calcio. Si conoscevano talmente bene da sapere sempre dov'erano disposti sul campo, e il loro contropiede non perdonava nessuno. Una volta fecero un gol talmente strepitoso che i compagni, per l'invidia, quasi non riuscirono a festeggiare.

Giacomo ripensò a quelle giornate passate a ridere.

Aveva appena traslocato.

Qualcosa doveva cambiare.

Si fece coraggio, guardò Rafael negli occhi e pronunciò una frase quasi inedita per lui:

«Mi piacerebbe averla ospite a cena.»

5

Elena era una ragazza di quarantaquattro anni.

Non aveva rimpianti, non aveva debiti, non aveva troppa cellulite e, soprattutto, non aveva bisogno di lavorare. Lo faceva per passione e per arginare l'iperattività del marito, ingegnere in eterna carriera. Aveva un negozio di modernariato in via della Rocca, nel cuore di Torino, in cui ridava vita alle poltrone, alle vecchie radio, a qualche vestito datato e a molti gioielli dimenticati. Un concept store pensato per soddisfare la sua necessità di scoprire e viaggiare, con una sorta di etica personale: non dimenticare da dove veniamo, perché ogni oggetto del passato contiene una risposta, anche se involontaria.

Quest'ultima idea se l'era inventata una volta che un'amica le aveva chiesto come mai si fosse dedicata proprio al modernariato. E così lo ripeteva come un mantra quando il cliente era indeciso se compiere o meno l'acquisto: "Ogni oggetto del passato contiene una risposta" valeva più di uno sconto, era la rivalsa delle parole rispetto alla materia. Lei lo diceva soprattutto per far ridere il suo commesso, uno studente con la passione per l'antiquariato di cui si fidava ciecamente. Si fidava soprattutto perché era un Acquario ascendente Bilancia, ed essendo lei Bilancia ascendente Acquario, non potevano che andare d'accordo. La sua passione astrologica la metteva però in conflitto con la propria fede, per cui correva spesso a confessarsi da padre Maurizio in cerca di assoluzione.

Per il resto, Elena era una *madamina turineisa* piuttosto classica: casa dietro la Gran Madre – come si conviene alle radical chic con marito ricco –, figlie cresciute con tata, tata multilingue ovvio, caffè da Mulassano, mobili da Gurlino, messa alla domenica, casa a Sestrière e casa ad Alassio. "Che ho fatto io per meritare questo?" si chiedeva il commesso citando Almodóvar, ma in fondo sapeva di essere un privilegiato: quando il tuo datore di lavoro è mosso dagli astri prima che dal denaro, sai già che lavorerai con un altro spirito.

Per il suo negozio, e più in generale per la sua vita, Elena aveva un proprio motto che le creava ulteriori conflitti: "Non si bada a spese". Per lei quella non era solo sbruffoneria da provinciale arricchita – così la definivano le malelingue dal parrucchiere – ma un modo per condividere con gli altri il privilegio del benessere, come la Chiesa insegna.

Almeno una volta al mese s'inventava un aperitivo in negozio dove vendeva un paio di pezzi e tutti si rimpinzavano delle bignole di Pfatisch, ma a lei non interessava. Aveva molti conoscenti e qualche vecchia compagna di scuola, ma il suo rifugio era e sarebbe rimasto la famiglia. Una Madame Bovary con l'iPhone, ma senza alcuna consapevolezza del proprio malessere. Come se il mondo intorno a sé fosse così perfetto che bastasse guardarlo, per goderne appieno, senza mettersi in gioco con gli eventi e le delusioni. "Non si bada a spese" si ripeteva Elena, senza sapere che un giorno il conto sarebbe arrivato. E sarebbe stato salato.

Il marito la tradiva. L'ingegnere aveva una tresca in corso, nulla di sentimentale, ma quanto basta per mettere in discussione una moglie, due figlie, il torneo di doppio misto e lo shopping nel budello di Alassio. Elena lo aveva scoperto quella mattina, per caso – come per tutti i traumi che si rispettino – prima che lui uscisse di casa. Stava dando un bacio alle bambine quando dalla tasca gli era caduto un piccolo oggetto di plastica che serve a non dimenticare figli in giro e a evitare talune malattie. Elena aveva raccolto il piccolo oggetto e glielo aveva restituito:

«Guarda che hai perso questo.»

L'ingegnere aveva provato a spiegarsi prima e a telefonare poi, ma Elena era rimasta tranquilla, tremendamente terrena davanti alla tegola che aveva sgretolato in un attimo il suo mondo Swarovski. Ci era rimasta tutto il giorno, in silenzio, parlandone solo con il commesso. «E ho pure Giove opposto» gli ripeteva a bassa voce. Lui le aveva consigliato di non distruggere tutto, di aspettare. Un po' come con l'influenza: stai tre giorni a letto con l'aspirina, se non ti passa vai di antibiotico. Con il tradimento, diceva, è uguale. Solo che l'antibiotico non l'hanno ancora inventato.

Era stesa sul divano, gli occhi fissi su un decoro floreale – non lo hanno restaurato mica bene – in attesa che il marito tornasse.

Quando l'ingegnere aprì la porta, fu subito travolto dalle sue "pupe", come le chiamava lui, che invece era "il secchione". Elena provò a sorridergli, voleva fugare ogni dubbio dalla testa delle figlie, e gli diede un bacio senza sapore. Avrebbe voluto una tavola imbandita per poterla sparecchiare, perché quello era l'unico gesto che la rilassava. La governante si disperava ogni volta, perché succedeva che si mettesse a farlo anche davanti agli ospiti, sotto gli occhi gelidi del marito.

Ma quella sera avevano cenato alle sette, quasi un dispetto, e la lavastoviglie stava già facendo l'ultimo risciacquo. L'ingegnere aveva addosso il sudore di una giornata pesante. Non si era confidato con nessuno – troppo "capo" per chiedere consigli – e aveva provato in macchina varie frasi da dire: "Perdonami", "Sì, ho un'altra ma è solo sesso", "Lo so che sembra un preservativo, ma non è come credi", "Volevo provarlo con te perché non l'abbiamo mai fatto".

Ad alta voce, ogni scusa sembrava ancora più ridicola.

Come sempre in questi casi, usò la tattica più efficace: giocare di rimessa. Attendere le mosse dell'altro fino a esasperarlo. Ma Elena era già esasperata dall'attesa, dalla mancanza di confronto e di conforto con le amiche che aveva, ma di cui non si fidava totalmente.

Torino è piccola, e in un attimo tutti avrebbero saputo. Un pettegolezzo è banale solo quando riguarda gli altri, pensava. Altrimenti è oltraggioso, vile, terribile: e per quanto tu sia brava a far circolare smentite, a mostrarti felice con lui in chiesa e alle mostre, un tarlo s'insinua nella testa della gente e per tutti sarai sempre una cornuta.

Restava rigida, Elena, fasciata dentro il suo vestito acquistato da San Carlo, uno straccio nero che poteva aver pagato sessanta euro o seicento, ma più vicino alla seconda ipotesi. Prese una tazzina e versò il caffè stando molto concentrata a non versarlo fuori – detestava le cialde – "se la goccia non cade andrà tutto a posto" si diceva, ma la goccia cadde.

«Allora, si può sapere cos'è questa storia?»

«Quale storia, Elena? Io non ho nessuna storia.»

«E allora perché ti porti dietro un preservativo per andare in cantiere?»

«Elena, ti prego.»

«Elena un cavolo. Come si chiama?»

«Non è come pensi. Era solo un'idea bizzarra... uno sfogo. Che poi non c'è stato.»

«Uno sfogo, eh? Porco. Come facciamo con le pupe?»

Panico. Panico vero. I figli, non appena vengono tirati in ballo, valgono più di mille pistole. L'ingegnere non aveva bussole né idee e neppure un vero e proprio amore clandestino da nascondere: solo un bisogno da soddisfare. Era un uomo senza qualità, per fargli un complimento colto. Povero ingegnere. Quella era stata l'unica tentazione del mese. Avrebbe potuto avvinghiarsi ad altre sottoposte – il potere eccita – ma aveva cercato di desistere: mancavano meno di due mesi a Natale. La nuova assistente invece lo aveva messo in discussione e rimesso in carreggiata.

E ora doveva solo persuadere Elena che poteva ancora fidarsi. Come farle credere che alla fine non aveva combinato nulla?

Arrivò alla logica conclusione che il tradimento comincia dall'*idea* che precede il fatto: anche se il fatto non sussiste, il partner si sente tradito comunque.

Il suo silenzio scaldò il cuore di lei, che lo patì. Voleva essere forte ma in quel momento né gli astri né la fede riuscivano a soccorrerla. Capì che l'amore è un'arma a doppio taglio che ti rende ora invincibile, ora morente, a seconda di come gli gira. E a te non rimane che aspettare che il tempo ti dica la verità. O tuo marito, già che è di fronte a te.

«Perché non ce ne partiamo per qualche giorno?»

La proposta indecente la spiazzò. Lo guardò sorpresa, e le parve di ricordare che aveva Mercurio in Gemelli.

«Facciamo così: lasciamo le pupe dai nonni e ce ne andiamo ad Alassio.»

«Alassio? Tu ti vuoi far perdonare e mi porti ad Alassio?»

«A Sestrière ora non c'è ancora abbastanza neve... perché, non ti piace più Alassio?»

Ci sono domande che ti affliggono più delle risposte che non vuoi sentire. Elena respirò come le avevano più volte insegnato al miglior corso di yoga della città – non si bada a spese – e fece finta di non capire. Si buttò sul letto sperando di addormentarsi il prima possibile.

6

Quella sera si sarebbe potuto cenare anche fuori.

Non faceva particolarmente freddo, ma c'era un'umidità che corrompeva l'aria immobile, quasi sospesa. Era la Venezia che Giacomo preferiva: le calli sempre uguali ma ancora abili a sorprenderti, con una testa di moro che spunta da un angolo o uno sbocco segreto verso la laguna. Gli sarebbe piaciuto mangiare in uno dei tavolini davanti ai 40 ladroni, a due ponti dal Campo del Ghetto Nuovo, ma Rafael aveva un concetto di caldo assai diverso e non era dell'idea.

Fino all'ultimo, Giacomo aveva pensato di disdire l'appuntamento, ma poi aveva temerariamente affrontato la situazione. Era convinto di essersi comportato in modo poco cortese, nell'accogliere quell'aiuto improvvisato durante il trasloco, e una cena poteva essere un bel modo per scusarsi. Poi erano tutti e due come attratti da una stessa calamita, sebbene Giacomo si sentisse più un ferro arrugginito che una lastra d'acciaio. Invece, alla fine, parlarono. O meglio, Rafael raccontava e Giacomo ascoltava, spesso rideva, lasciandosi andare a slanci che gli erano capitati solo in un passato lontano. Un concierge è grande se riesce a essere vicino al cliente senza toccarlo, quando chiede ma non interroga, sta a sentire e non giudica. Giacomo dimenticò per una sera tutti gli insegnamenti dei suoi maestri, dalla scuola alberghiera di Stresa al direttore del Ritz.

«Così è questa ragazza che l'ha portata a Venezia.»

«Già. Dio ci ha fatto incontrare di nuovo a Milano, dopo che ci eravamo lasciati a Rio, e lei mi ha chiesto di accompagnarla qui perché doveva fare delle foto. E alla fine non si è presentata. Ma tu ci credi che una campagna pubblicitaria salta?»

«Glielo ripeto, me l'ha detto al telefono l'agenzia... e lei non conosce il movimento "Venezia ai veneziani". Quelli sono agguerritissimi... stasera si dovrà accontentare della mia compagnia. Non sono proprio la stessa cosa, ma se vuole ho una maschera di Colombina nella locanda.»

Rafael spalancò un nuovo sorriso. Non conosceva Colombina, e nemmeno Giacomo, ma per ridere non serve sapere tutto.

Per un attimo, immaginarono un film in cui i protagonisti erano due portieri: uno di calcio e l'altro di albergo. Quello di calcio, sperava di non vedere mai nessuno avvicinarsi alla porta, perché ogni avventore avrebbe potuto fare gol. Quello di albergo, aveva sempre gli occhi all'orizzonte nell'attesa di qualcuno. Un cliente significa lavoro ma, molto spesso, compagnia.

Due mondi distanti, ritrovati a parlare davanti a un menu.

«Stasera sei mio ospite. Smetti di guardare l'elenco dei prezzi, per favore.»

«E così hai deciso di darmi del tu...»

«A volte mi capita. Posso?»

«Solo se la cena la stecchiamo a metà. Non voglio che mi fai l'elemosina perché t'immagini il poverello della favela. Io non vengo dalle favelas, anche se aiuto la mia famiglia tutti i mesi.»

"Eccolo lì che mi chiede soldi" pensò Giacomo. "Cominciano con una chiacchierata, ti mettono la pastiglia nella bevanda e ti risvegli senza un rene. Chissenefrega del rene" si disse, e rilanciò.

«Sai allora di cosa hai bisogno subito?»

«Di Regina?»

«No, di un prosecco. Anzi, ce ne ordiniamo subito una bottiglia.»

Senza nemmeno aspettare la risposta, Giacomo fece cenno al ragazzo di portare da bere. Aveva l'euforia tipica delle persone che si muovono sempre da sole e che di colpo, appena si palesa lo straccio di un commensale, si eccitano come i giocatori alla roulette. Nell'attesa delle ordinazioni, mentre Rafael faceva il riassunto della sua vita, Giacomo provò a immaginare i vantaggi di cui poteva beneficiare quella sera:

- la bottiglia di vino poteva ordinarla grande, ovvero normale;
- non doveva imparare a memoria l'etichetta dell'olio e gli ingredienti dei grissini;
- non era costretto a parlare con il cameriere;
- non doveva perdere tempo in bagno per ingannare l'attesa;
- non doveva guardare il telefonino che tanto non lo chiamava nessuno;
- non doveva sopportare gli sguardi compassionevoli degli altri tavoli;
- ma, soprattutto, aveva la possibilità di ascoltare una storia.

Giacomo, quella storia, la vedeva piena di slanci ma con una nota di *tristeza*. L'ascoltò con ammirazione, trasporto e un pizzico d'invidia, affascinato dall'accento portoghese che amplificava ogni emozione.

Rafael aveva conosciuto Regina a Rio dopo aver deciso di mollare il calcio e il suo futuro da portiere. Si era trasferito per qualche mese da sua sorella a Leblon, dove di giorno faceva il fattorino in bicicletta –

corri, Rafael, corri – e di sera serviva batida in un bar. E proprio lì aveva incontrato Regina: stesso sorriso, stessi occhi grandi, stessa attrazione. Prima di essere Regina, però, per tutti lei era Carmelinda Dos Santos, una delle protagoniste di *Páginas da Vida*, la telenovela più seguita di Rede Globo. Rafael era rimasto letteralmente tramortito da quella ragazza al tempo stesso familiare e distante. Quando capì che "Carmelinda" gli faceva il filo, perse completamente il senno.

Dopo due sere passate a servirle cocktail, realizzò il sogno di poter baciare il personaggio più amato della tv brasiliana. La stella promessa nell'anno della consacrazione, una settimana sì e una no sulla copertina di "Caras". Ma Regina era un'attrice troppo giovane per poter reggere la pressione di quella popolarità soffocante. Rafael si sforzò di relazionarsi a lei in modo naturale, ma sapeva benissimo che quando erano in giro, in fuga dai fotografi, per tutti lui era "la nuova fiamma di Carmelinda Dos Santos".

Finì sulle riviste scandalistiche.

Finì sulla bocca delle casalinghe.

E finì soprattutto per innamorarsi.

Trascorsero due mesi di passione senza freni, il fuoco che trova la benzina e ne vuole sempre più. Ma la benzina finì, almeno quella di Regina, perché il personaggio di Carmelinda l'aveva prosciugata: cominciarono attacchi di panico, abusi alcolici e crisi isteriche. Più lei si allontanava dalla realtà, però, più Rafael sentiva di amarla.

Alla fine, su consiglio della sorella, Regina optò per una soluzione drastica: abbandonò *Páginas da Vida* chiedendo l'uccisione di Carmelinda da parte di Nelson, il fidanzato, mettendo in crisi produttori e spettatori. La puntata della sua scomparsa venne seguita da un brasiliano su due, ma la morte non la liberò dall'incubo. "Carmelinda è viva!" le gridavano i passanti appena usciva di casa immortalandola con i telefonini.

Decise di lasciare il Brasile e ricominciare dal suo lavoro di modella. L'attrazione che pure provava per Rafael non fu sufficiente a persuaderla a restare, e neppure il successo. Gli disse addio insieme alla sua terra, tra le lacrime, per ripartire da un posto dove nessuno avrebbe mai sentito parlare di Carmelinda Dos Santos: Milano.

Quando Rafael l'accompagnò all'aeroporto, avrebbe voluto urlare e disperarsi, ma si limitò a piangere come un bambino, senza fare rumore, davanti ai viaggiatori che cercavano continuamente di toccarla. Le disse che non sarebbe dovuta partire, che l'avrebbe inseguita, che due come loro erano nati per essere una cosa sola e non due cose lontane. Regina aveva parlato poco, riuscendo solo a dire: «*Poxa! Eu sinto muito*», mi spiace tanto, senza che le scendesse neanche una lacrima.

Mentre ascoltava rapito, a Giacomo sembrò di essere veramente dentro una telenovela.

«Rafael, a me piace molto la tua avventura, ma non ti ho invitato a cena per farti chiudere lo stomaco... mangia qualcosa, ti prego.»

«Di' la verità, ti stai annoiando?»

«Niente affatto. È una storia bellissima.»

«Peccato che il finale è un po' triste.»

«Il finale non c'è ancora, Rafael. Come sono le sarde *in saor*?»

Finalmente sentì il sapore agrodolce sciogliersi d'incanto in bocca. Ci aggiunse una sorsata di prosecco e si sentì di nuovo in pace con il mondo. Guardandosi intorno, si rese conto di essere uno dei pochi a parlare italiano: era tutto un *mi morti*, *ghe sbiro*, *ciò* e *ti savessi*. Anche il cameriere parlava solo così. "Che tipi gli italiani" pensava. Sempre lì a criticare gli stranieri, e i primi a parlare strano sono loro.

«E tu?»

«Io... cosa?»

«Tu, che mi racconti? A parte che vivi in una camera d'albergo.»

Per un attimo, Giacomo rivide la sua nuova casa – gli scatoloni in fila – e pensò a qualcosa da dire. Lui che era un mago della conversazione fine a se stessa, non aveva argomenti quando l'argomento era lui. O meglio, li avrebbe avuti. Ma non sarebbero state storie adatte per una cena con sconosciuti: aspettava una donna da cinque anni; frequentava abitualmente una prostituta; usava solo il bagnoschiuma Vidal; non si fidava di nessuno; aveva il terrore di dimenticare il codice bancomat e l'abitudine di inquadrare le persone dalle scarpe. E non sapeva cucinare. Cosa si poteva dire di una persona così?

«Io sono... come dire. Io sto bene.»

«...»

«Preferisci un assaggio di primi oppure passiamo direttamente al secondo? Qui fanno degli ottimi spaghetti al nero di seppia.»

«Preferirei che mi raccontassi qualcosa di te.»

7

Aveva gli occhi chiusi e il cuore altrove, povera Elena.

Pensava alle bambine, che sarebbero cresciute senza più un padre accanto – le avrebbero affidate a lei – e che da adulte non avrebbero più creduto al matrimonio per via del suo esempio. Pensò al negozio, alle domande delle clienti cui non avrebbe più saputo rispondere: "Come sta l'ingegnere?", "Vi vedremo ad Alassio quest'estate?".

Soprattutto, pensò a dove aveva sbagliato. Chi viene tradito si sente vittima e colpevole, colpevole anche solo di non essersi accorto di cosa stava accadendo al proprio partner. Tutto appare chiaro davanti alla verità, anche quando la vita non era stata chiara per niente, quando le telefonate non erano sembrate né troppe né troppo poche, l'affetto consueto, il sesso scarso ma regolare. Elena si alzò e si chiuse in bagno. Si spogliò guardandosi per qualche minuto. Scrutava il suo corpo ancora sano, privo di alchimie estetiche, di manipolazioni, di acido ialuronico. Quarantaquattro anni portati con attenzione, senza strafare con la ginnastica ma neppure con il fritto misto, la naturale bellezza dei privilegiati che si accettano per come sono perché sicuri di sé, per lo meno in apparenza. Ma essere traditi mette subito in discussione il proprio corpo, come se si dovesse ripartire dalla base dell'accoppiamento:

l'attrazione fisica. D'improvviso lo specchio rivelava che quei seni erano sì ancora belli, ma belli per una donna della sua età. Anche i segni di espressione che lei non aveva mai avuto il coraggio di chiamare rughe, d'improvviso mostravano la loro profondità, che Elena marcava ulteriormente con smorfie di autoaccusa. Un preservativo caduto di tasca a suo marito le aveva aperto una voragine sotto i piedi, e non le bastavano neppure le figlie per farsi forza. Pensò un attimo a Dio. Per una volta, però, non doveva chiedere scusa ma soltanto "perché". Si sentì legittimata a consultare gli astri, e pensò a Giove opposto, a suo marito che aveva sempre avuto quella Venere in Gemelli e quindi eccolo lì spiegato l'ormone ballerino.

L'ingegnere, intanto, cercava di dormire. L'avrebbe riconquistata, lasciandola stare per un po', strisciando senza esagerare, ricominciando a corteggiarla come era stato solito i primi anni, mandandole fiori. Ma ogni cambio di atteggiamento sarebbe sembrato un'ammissione di colpa, un risarcimento a un desiderio già realizzato, anche se non iterato troppe volte. Del resto, era bastata una disattenzione – perché non l'ho messo nel portafoglio? – a far precipitare la libido, a fargli rinunciare a quell'avventura, a riempire di rancore l'eccitata assistente, inutilmente gatta. Si sforzava di addormentarsi, il secchione, ma sapeva che non ci sarebbe riuscito. Tendeva l'orecchio verso il bagno da cui Elena non sembrava uscire – perché non l'ho messo nel portafoglio? – immaginandola con il suo burro di Carité e il filo interdentale, due gocce di "Fior d'arancio".

Elena non si muoveva. Guardava incredula quel volto improvvisamente brutto e indesiderato, il labirinto che non trova l'uscita, la sconfitta prima della battaglia. «*Welcome to America*» trovò la forza di dirsi mentre il volto si rigava di lacrime. Piangeva e ripeteva quella frase che aveva letto la prima volta che era volata a New York, trovandola magica, sognante, liberatoria. "*Welcome to America*" le tornava ora in mente all'improvviso, e sembrava l'unica frase che potesse pronunciare.

«Sono brutta. Dimmi che l'hai fatto perché sto diventando brutta.»

Rientrò in camera accendendo la luce che illuminava i suoi occhi pesti. Non era per niente lucida, o forse lo era troppo, sicuramente avrebbe avuto ancora bisogno del commesso per poter attuare una strategia.

«Elena, vieni qui.»

«...»

«Piantala e vieni qui, accanto a me. Le pupe dormono, non facciamole svegliare. Domani ne riparliamo. Anche se tu ti devi fidare di me.»

Stordita com'era, vide in quella frase una piccola stella.

«Credo sia meglio se rimango sola per qualche giorno.»

«Cosa stai dicendo?»

«Cosa sto *facendo*, vorrai dire. Ho bisogno di allontanarmi da tutto per un po'.»

«Ma le pupe...»

«Abbiamo due tate e tua madre, che vale per tre. Poi non voglio che mi vedano in questo stato. Preferisco chiarirmi da sola.»

«Vuoi che venga anch'io?»

C'erano frasi in cui l'ingegnere mostrava tutta la sua ingenuità, anche se era solo la posa di chi vuole convincere gli altri della propria incapacità di intendere e di volere: a volte funziona. Elena era emotivamente troppo instabile per affrontare la realtà dalla sua casa borghese, che vedeva la Gran Madre da una finestra e il monte dei Cappuccini dall'altra, privilegio di cui non si era mai resa conto fino in fondo, neppure in quella notte triste.

«Ti prego, non peggiorare le cose.»

«Sei tu che stai peggiorando le cose, Elena. Cos'hai intenzione di fare?»

«Vado qualche giorno a Venezia. Devo vedere un paio di negozi e un antiquario a Murano. Mi farà bene.»

«Ma Venezia è la nostra città...»

«Per ora me la prendo io. Poi si vedrà.»

«Elena, non fare cazzate.»

«...»

«Elena, cosa dico alle pupe?»

«...»

«Elena, dove vai?»

Bofonchiò qualcosa mentre usciva dalla camera per rifugiarsi in studio. Voleva prenotare un treno per la mattina dopo – il treno della speranza –, treno che avrebbe allontanato i suoi malesseri, che le avrebbe ridato qualche certezza, anche solo la sensazione che ce l'avrebbe potuta fare da sola. Chi si abitua a vivere in coppia guarda con diffidenza le persone spaiate, sole per scelta o necessità o sfiga: da un lato le giudica, dall'altro le invidia. Questo aveva sempre provato Elena quando serviva le sue clienti "single" – parola più subdola di quanto appaia –, donne ancora in forma ma fuori concorso in una società dove il maschio fugge a piè pari davanti alle prestazioni. Di loro, lei notava soprattutto le acconciature. Raffinate, a volte azzardate, sicuramente di forte personalità. "I tagli più nuovi li scelgono le donne senza marito" pensava, "perché loro hanno più occasioni per esibirsi." Non immaginava che dietro i colpi di sole si nascondesse il desiderio di un compagno davanti alla tv. Di un bambino che non ha voglia di fare i compiti e tu che lo iscrivi al corso di pianoforte. "Beata te" ripeteva a quelle clienti, senza alcuna percezione della realtà. "Beata te." E loro costrette a sfoderare un sorriso sbiancato.

Sì, Elena poteva essere forte come una donna single. Per lei una fuga di qualche giorno equivaleva a una maratona sotto gli occhi del Presidente. «*Welcome to America*» sussurrò di nuovo.

All'improvviso ebbe un'illuminazione. Gli venne in mente il suo parrucchiere, un Leone ascendente Leone, mentre le ripeteva di non trascurare quel colore artificiale, di coccolarlo come un neonato, perché se lo educhi bene cresce sano e sicuro di sé: il suo parrucchiere era solito parlare dei capelli come se parlasse di esseri umani.

Tornò in bagno e accese la luce dello specchio. Davanti a una chioma spettinata dai troppi crucci, riuscì a non pensare a suo marito. La ricrescita c'era, ed era evidente.

Appena arrivo a Venezia, si disse, devo sistemare le cose.

8

«Preferirei che mi raccontassi qualcosa di te.»

Giacomo guardava Rafael senza parlare, senza rispondere, cercava nelle tasche sigarette che non fumava, gomme che non masticava. Trovò solo un paio di scontrini, qualche bustina, fogli piegati. Oggetti lasciati in una camera quella mattina stessa, che poi aveva dimenticato di buttare.

«Non riesco a parlare, qui. Ti va se facciamo due passi?»

L'altro annuì senza insistere. Avrebbe mangiato volentieri ancora qualcosa – vedeva passare dei pesci enormi – ma non osò chiedere. Per fortuna le sarde *in saor* gli andavano su e giù, e il prosecco gli aveva dato l'ebbrezza necessaria ad addolcire l'assenza di Regina. Chissà se era vera, questa storia di "Venezia ai Veneziani", ma l'andatura di Giacomo gli impedì di rimuginare oltre. "Corri, Rafael, corri" gli diceva nonna Esperança. Non avrebbe mai scoperto che l'aveva rubata a *Forrest Gump* quando l'avevano trasmesso su Tv Record.

Osservava le case del quartiere e non riusciva a crederlo, che potessero emergere dall'acqua. Incantesimi costruiti con la fantasia di un bambino cui è consentito tutto, anche le barche con la scritta TAXI. Giacomo era affascinato da quello sguardo, ignaro dell'arte eppure sedotto dalla bellezza senza codici, una bellezza pura e accentratrice, sovrana e indiscutibile. Venezia è la dea che ti toglie la benda dagli occhi.

Dopo dieci minuti in cui a parlare furono solo i passi, i due giunsero in un luogo che sembrava non appartenere a nessuna epoca, una parentesi dimenticata dal tempo e bella proprio per quello. Al Campo dell'Abbazia Giacomo ci portava solo le persone con cui poteva essere per un attimo se stesso. Un uomo che si sforza di assomigliare agli altri, questo sembrava, e che accetta per una volta di mostrare le proprie debolezze. O forse sono solo i forti che possono ammettere di essere deboli, come aveva letto una volta su un muro a Parigi, per poi annotare su un quaderno: "Se la gente desse più retta ai muri, forse sarebbe più simpatica".

«Tu mi chiedi di raccontarti qualcosa di me.»

«Sì. Mi hai incuriosito...»

«E perché?»

«Perché ti sei interessato a me, mi hai portato fuori a cena, e non sei gay.»

Giacomo stritolò gli scontrini che teneva in tasca. La faccia cambiò temperatura ma non colore.

«Scusa?»

«Sei gay?»

«No, Rafael, no. Ma chi ti dice che non lo sia?»

«Sono stato corteggiato da troppi maschi per non accorgermene. Lo capisco non solo da come guardano, ma da cosa guardano.»

«Ad esempio?»

«Prima, al ristorante... è entrato un bellissimo ragazzo. E tu non l'hai guardato.»

«Non me ne sono accorto.»

Non sapeva più cosa pensare, Giacomo, o forse cercava di non pensarci, disorientato da quella voce che improvvisamente tirava fuori l'accento milanese. Cercò di rilassarsi e di godere, finalmente, di una compagnia.

«Ma allora tu sei...?»

«Io sono uno che guarda tutti. Forse perché sono straniero e voglio farmi accettare. Infatti molti capiscono male quando sorrido. Ma il problema è vostro, che avete paura della gente che vi sorride e pensate subito a un secondo fine.»

Non era proprio così. Ai tempi del Santos, aveva abusato del suo sorriso per far capitolare un dirigente che aveva un debole per i ragazzi, concedendosi alle sue attenzioni per mandare dei soldi alle sorelle. Ma era una cosa talmente segreta che non la diceva nemmeno a se stesso.

«Io invece cerco di non guardare nessuno. Al di là dei clienti della locanda, intendo. E poi non parlo.»

«Invece sì che stai parlando.»

«Si può parlare per ore senza dire nulla. Ecco, l'ho ammesso: io non ho mai niente da dire.»

Per un attimo, Rafael si chiese che cosa ci stava facendo lì, con uno sconosciuto che aveva il doppio della sua età, in quell'angolo surreale di una città surreale, senza aver guadagnato nemmeno una cena completa giacché si erano alzati prima.

«Non ci credo che non hai nulla da dire.»

«E perché dovrei dirlo proprio a te?»

«Perché sono uno sconosciuto. E al mondo ti puoi fidare solo delle persone che conosci molto bene o degli sconosciuti.»

Giacomo si sentì felicemente nell'angolo, come se la costrizione fosse una condizione necessaria ad aprire qualche altra fessura nella sua esistenza. Tirò fuori il malloppo che teneva dentro la tasca e lo appoggiò sulla vera bianca al centro del campo. Uno scontrino, una ricevuta di un ristorante, una crema contorno occhi e la piantina di Padova.

«Da parecchi anni mi diverto a immaginare le vite dei clienti dell'hotel. Non di tutti, però. Solo di quelli che mi incuriosiscono.»

«Non capisco.»
«Vedi questi oggetti? Erano nella camera numero 10, stamattina. Ci sono entrato per controllare a che punto fosse la stanza e loro erano lì, sul comodino, come se mi chiamassero. Dentro c'è stata una ragazza francese... ecco cosa ha lasciato dopo il suo passaggio. Cosa vedi da queste tracce?»
Ci pensò divertito, come un bambino che di colpo sa stare attento.
«M'immagino una ragazza alta.»
«Perché alta?»
«Non lo so. Quelli che girano con le cartine sono sempre alti. Devi avere braccia lunghe per aprire una cartina.»
«Immagini altro?»
«Ti pare poco? È già abbastanza per me, che ho poca fantasia. Per questo ho fatto il portiere di calcio. Capisci che sognare di fare il portiere per un brasiliano è proprio un sogno da sfigato. I portieri non possono avere slanci... possono solo fare danni o evitarli. Ogni volta che ho provato a uscire dagli schemi ho fallito. Ma forse, semplicemente non ero un bravo portiere.»
«...»
«Dimmi invece tu che idea ti sei fatto di questa ragazza qui.»
I due si guardarono intorno per un istante, come se si rendessero conto che la conversazione aveva un che di stupido.
«Certe cose riesco solo a scriverle. Ho un quaderno e quando mi capita, se sono triste, scrivo quello che penso delle persone che incontro. Le cose che noi lasciamo nelle camere raccontano molto di noi. Più di quello che mettiamo nelle valigie. Ti sei mai voltato indietro prima di lasciare una stanza d'albergo?»
«Non vado mai in albergo.»
«Ops.»

«Però la prossima volta lo farò... ma a cosa ti serve osservare gli altri?»

«È come se cercassi le prove che loro sono vulnerabili quanto lo sono io.»

«Cosa vuol dire "vulnerabile"?»

«Vuol dire che non sei sicuro di te.»

«Allora io sono supervulnerabile! Quindi tu tieni un quaderno segreto, come le mie sorelle...»

«Non è segreto, anche se non lo faccio vedere a nessuno. E poi non mi metto a spiare i clienti. Semplicemente li osservo, li ascolto, ogni tanto percepisco qualche loro segnale. Ed è bellissimo quando trovi persone che non lasciano tracce. Sono le più riservate.»

«Ma alla fine era alta, o no, questa ragazza?»

«Era una spilungona! Complimenti.»

«E qual è la cosa più bella che hai trovato in una stanza?»

«Un post-it lasciato su uno specchio. Diceva: "Vuoi sposarmi?".»

Rafael non sapeva cos'era un post-it ma due domande per chiedere il significato era troppo. Così tirò fuori un'espressione intermedia che usava ogni tanto, una via di mezzo tra "interessante" e "però". Giacomo si sentì legittimato ad andare avanti.

«E poi... per dirti altro di me... non so stare in posa davanti a una macchina fotografica.»

«Perché, fai anche il modello?»

«Ma no, intendevo quando si fanno le foto. Non so mai che faccia fare. Anche se è un problema che ormai ho risolto, perché non mi faccio fotografare.»

«Fai male. Se io non avessi con me la foto di mia nonna e quella delle mie sorelle, forse me ne sarei già tornato a Rio.»

Aprì il portafoglio e gliele mostrò con fierezza, mentre le abbracciava sorridente.

Lasciarono Campo dell'Abbazia senza più parole né una nuova meta. Camminavano nella notte senza conoscersi, spinti dalla necessità, per una sera, di non restare soli. Giacomo ogni tanto mostrava dettagli architettonici che aveva notato nel corso degli anni, o di cui gli aveva parlato qualche esperto appassionato, ma a Rafael non interessava più di tanto. È come vedere la prima volta la *Gioconda* e trovare qualcuno che ti parla dell'alberello dietro.

L'unico dettaglio che incuriosì Rafael fu quando passarono sotto casa di Frida. Giacomo aveva allungato il giro fino a Castello per arrivare a quella finestra, mosso da un istinto indiscreto. La trovò accesa e vide anche l'ombra di qualche movimento, senza poter riconoscere nulla. Chissà con chi era, se con qualche politico, forse un manager – il cognome sulla lavatrice –, un marito fedifrago che aveva timore di portarla in albergo. O magari un fidanzato, perché no?

Il furetto brasiliano osservava quell'uomo antico con lo sguardo appeso a una tenda e avrebbe voluto dirgli altre cose. Gli sarebbe piaciuto raccontargli che non aveva mai conosciuto suo padre. Che voleva più bene a sua nonna che a sua madre. Che sentiva sulle spalle il peso delle sorelle. Che sognava di svegliarsi la mattina e avere la pelle più chiara. E che sperava di poter giocare di nuovo a calcio.

Invece non gli uscì nulla. Aveva detto che al mondo ti puoi fidare solo delle persone che conosci molto bene o degli sconosciuti. Ma in fondo non ne era convinto nemmeno lui.

Per togliersi dall'imbarazzo, tirò fuori il cellulare e con un guizzo felino – corri, Rafael, corri – immortalò Giacomo in una foto. Il gesto fu talmente veloce che l'altro non ebbe il tempo né di sorprendersi, né di offendersi.

Dopo molte insistenze e un lungo tira e molla, si guardò. E si riconobbe. Non era per niente male! Sembrava un uomo normale, con un'espressione naturale, intensa. Solo un po' grassoccio in viso. Era la prima foto in cui si vedeva e ritrovava. Gli salì un moto di gratitudine che però non riuscì a esprimere verbalmente, e Rafael ci rimase male. Ma ci sono persone che non sanno dire "grazie" a parole, solo a gesti.

Rientrarono a Cannaregio a passi più lenti, affaticati dal cibo e dall'umidità. Quando arrivarono alla locanda, Giacomo trovò il ragazzo della reception ad attenderlo impaziente.

«Ha chiamato la signora Barsanti. Ha chiesto di lei, voleva sapere se era ancora il direttore della locanda.»

«Elena...»

«Ha prenotato una camera per tre notti. Arriva domani a mezzogiorno.»

Giacomo smise di respirare per qualche secondo. Il finale era ancora aperto, e questo bastava per fargli aumentare il battito cardiaco.

Il suo cuore era salito su un carro a Rio de Janeiro e non voleva più scendere.

9

A parte l'ingegnere, che poco dopo la discussione aveva cominciato a russare, quella notte non era riuscito a dormire nessuno: né Elena, che si era buttata sullo Xanax, né Rafael, che si sarebbe buttato sotto un treno, né Frida, che si sarebbe buttata sotto il letto pur di non sentire i versi di quel deputato.

E non aveva chiuso occhio neppure Giacomo.

Era la prima notte nella sua nuova casa. Era la prima volta che aveva confidato a qualcuno del quaderno. Ma soprattutto era la prima volta, dopo cinque anni, che avrebbe rivisto Elena.

Non bastò masturbarsi. Non bastò sentire le gambe indolenzite da quella lunga camminata, o la fatica degli scatoloni sulle braccia. Ci sono notti nate per non essere dormite, e così era quella, la vigilia di San Martino, che come sempre aveva portato un pizzico d'estate fuori stagione.

Si alzò e accese la luce. Si tolse il pigiama, rimanendo in slip e maglietta bianca. "Oh Mimì, che tristezza" disse tra sé mentre si guardava allo specchio. Di faccia non era male, ma i suoi lineamenti non sembravano capaci di esprimere gioia. Provò a sorridere, per una volta, e ci riuscì, anche se si sentiva goffo. Era però il fisico a lasciarlo perplesso. Non era brutto, ma aveva un certo pudore del corpo, quasi che la sua stazza robusta fosse inadatta ai modi gentili. Le dita grandi delle mani, poi, erano più pronte a tirare una sberla che a firmare un documento.

Più che amore, Elena era stata un'apparizione nella sua esistenza. Un'attrazione inevitabile tra due insicuri cronici: dopo quindici anni di matrimonio, lei si era resa conto che, escluse le esperienze liceali, non era stata con altri uomini al di fuori di suo marito; Giacomo si stava convincendo che non si poteva far coincidere la vita con il lavoro solo perché la vita è difficile. Così si erano trovati a inscenare una goffa schermaglia amorosa sotto gli occhi distratti di un altro – l'ingegnere –, inetto marito agli occhi di lui, e ora anche di lei.

Ripensandoci, sentiva ancora l'odore di quella ragazza, una nota d'arancio, un profumo per una donna più grande della sua età.

Anche lei associava quei giorni a un profumo: quello della cera sui mobili, che le faceva venire in mente i Dogi e il mercatino di Cherasco.

L'ingegnere, invece, da Venezia si era portato a casa il ricordo della colazione. Abbondante. Non puntava ad altro. L'uomo che lascia vivere ma non vive, nel senso che non affronta la realtà come un'avventura ma un compito da assolvere con la minore fatica possibile.

In fondo, a Elena andava bene così: i brividi che cercava li trovava nei film o nei romanzi, e le bastavano. Ogni tanto, nei meandri più nascosti della sua mente, sognava di fare sesso con Carofiglio. L'aveva visto a un paio di presentazioni, e mentre parlava se lo era immaginato nudo nel suo letto: lo trovava sexy, intelligente, vanitoso il giusto. E poi parlava con l'accento del Sud.

Per il resto, preferiva la monotonia delle certezze alle oscillazioni del cuore. Anche se il cuore le era oscillato, eccome, quando aveva visto Giacomo la prima volta nella hall.

«Desidera un prosecco, *madame*?»

Madame, l'aveva chiamata *madame*, e questo l'aveva sciolta. Un retaggio del Ritz – tre anni come vicedirettore – non una raffinatezza per colpire. Ma l'amore nasce dalle parole, o forse non ci sarebbe amore senza parole, chissà. Per la prima volta dopo tanto tempo, Elena aveva avuto la sensazione che un uomo la stesse guardando, e questo aveva scatenato un putiferio di gioie e sensi di colpa. Erano stati però questi ultimi ad avere la meglio, per cui aveva preferito rispondere:

«No, grazie. Se bevo ora mi gira subito la testa.»

In realtà lo avrebbe desiderato, ma non voleva osare, e poi si sentiva sciatta dal viaggio, inadeguata ad accettare una galanteria da uno sconosciuto. Ma quegli occhi scuri, le mani spesse, la voce – *madame*, l'aveva chiamata *madame* – le erano rimasti impressi per tutto il soggiorno veneziano. Lei, impegnata soprattutto a fare la moglie del secchione al convegno, stava pensando a un uomo che non era il suo. "Lo spirito è forte, la carne è debole, io non so se sono abbastanza forte, anche se ho la fede" si diceva per vivere quei pensieri senza andare in crisi. La rigida educazione l'aveva resa sorda alle tentazioni, anestetizzata all'erotismo – Carofiglio a parte – anche quando si trattava solo di fantasia. Quella storia ideale era riuscita finalmente a smuoverla, e lei aveva trascorso le giornate a flirtare goffamente con una persona altrettanto inesperta. Il livello dei loro discorsi era degno di un autobus prima che la gente si attaccasse ai telefonini, ma gli sguardi duravano quel secondo di troppo che li rendeva inequivocabili. Solo alla fine, quando avevano realizzato che non avrebbero avuto più tempo, ne avevano approfittato per mangiare il gelato da Nico. Senza combinare nulla. Troppo impacciati per abbandonarsi a uno slancio, e negli amori difficili è impossibile vincere se non si ha coraggio.

Era stata solo la partenza a metterli alle strette. Al momento dei saluti si erano appartati sotto le scale, senza porsi domande, abbassando la voce, baciandosi fugacemente con la dolcezza di un carillon.

Malgrado le dissonanze astrali, Elena si sarebbe portata dietro quel bacio per un sacco di tempo, ricordo alimentato da un paio di lettere all'anno, lettere piene di brutte copie alle spalle, le correzioni per aumentare il fraintendimento, quando si vuole far capire ma si teme di essere scoperti.

I messaggi, alla fine, erano passati e l'amore sbocciato senza essere mai consumato fino in fondo. Un amore sottinteso come tanti, incapaci di spiccare il volo eppure in grado di farci vivere meglio, nell'attesa che il sogno diventi realtà.

Disillusa come poche volte, Elena si rigirava nel letto senza trovare pace. Vedeva i suoi anni scorrerle davanti, e le sembravano tutti sprecati. Giorni passati a sorridere e salutare, a chiedere: "Come va signora, *tut bin*?" senza che in realtà gliene fregasse nulla. Neppure il pensiero delle pupe la rassicurava, anzi in quel momento sembravano solo appesantire la situazione.

Sola.

Sola.

Sola.

Ecco come appariva quando mancavano ormai poche ore al treno che l'avrebbe condotta a un improbabile rendez-vous con il passato, perché sapeva che non c'è niente di peggio che chiarire un fatto dopo anni. Ma Giacomo era l'unico appiglio cui aggrapparsi per non precipitare.

Una persona che, solo sfiorandola, aveva segnato la sua esistenza. E per quanto il tempo avesse rimosso il senso fisico di quel piacere, e lei avesse ripreso senza troppe scosse la sua vita di sempre, in fondo non era mai riuscita a dimenticarlo.

A questo e poco altro riuscì ancora a pensare Elena, prima che lo Xanax s'impossessasse definitivamente di lei e la portasse con sé.

10

La signora Berbotto deve essere proprio una di quelle precise. L'ho capito fin dalla prenotazione, dai mille scrupoli che si è fatta per verificare che tutto fosse in regola, e non le è bastata la conferma al telefono, no. Voleva quella scritta. Mi sa che ha avuto un'infanzia difficile. O forse semplicemente è una di quelle che amano rompere. Ci sono persone che amano rompere senza che abbiano avuto traumi, sono fatte così. C'è chi è bello, chi è paziente, chi è intelligente, e chi ama rompere, ma proprio gli viene naturale, una sorta di talento nel dissentire, nel contrastare, nel polemizzare. Secondo me però la signora appena rimane in camera da sola le prende lo sconforto. Non ricordo persona che ci abbia messo più tempo prima di firmare il foglio di accettazione. Sembrava dovesse sottoscrivere un mutuo trentennale con tutte le clausole scritte minuscolo in caso di rescissione del contratto. Ho dato un'occhiata alla sua stanza, ieri. Cavolo, questa si è rifatta il letto! Che senso ha andare in albergo se poi devi rifarti il letto la mattina e lasciare il bagno come l'hai trovato? Ma forse non ci ha dormito. E allora dove ha dormito? Saranno anche fatti suoi, ma io questa qui non l'ho capita proprio.

Cercava di distrarsi, Giacomo, quella mattina assolata, facendosi compagnia con il suo quaderno di appunti sparsi, ma la penna non scorreva lesta come al solito, titubava sul niente come un funambolo insicuro. Ci sono notizie così belle da far paura, e questo portava un certo malessere in una stanza ancora senza storia. Giacomo non aveva dormito ma non aveva né sonno né fame, solo il desiderio che tutto accadesse in fretta. Si buttò sotto la doccia mettendoci più del solito per trovare la giusta temperatura dell'acqua. S'insaponò la testa con lentezza. Poi fece la barba con il pennello, quei pennelli da nonno, stando attento a non tagliarsi nel solito punto critico, sotto il mento. Gli succedeva tutte le volte che aveva un appuntamento importante, e puntualmente si arrabbiava mentre cercava la polverina magica che glielo seccava in un istante, anche se il rimedio migliore, per lui, era appoggiarci sopra un pezzo di "Vanity Fair". Ma quella mattina filò tutto liscio.

Scese nella sala mentre i clienti facevano già colazione. Dando un'occhiata al buffet, riusciva a capire se c'erano più italiani o stranieri. Gli italiani non riescono a cominciare la giornata senza dolci. Gli stranieri vogliono il salato, che siano uova e pancetta o tagliatelle alla bolognese. In quel momento però Giacomo era poco propenso a osservare, per cui si sistemò il fazzoletto nel taschino mentre una cliente stava tirando scemo uno dei ragazzi al check out. Capita l'antifona – gli bastavano poche parole chiave, tra cui "ma io" –, si avvicinò per risolvere la situazione, e riconobbe la signora Berbotto in una delle sue farneticazioni. Pur distratto, gli cadde l'occhio su un mezzo stivaletto verde con cerniera. Una roba tremenda.

«Signora, va già via? Potrebbe lasciare il bagaglio e fare ancora un giro, già che è San Martino.»

«Non posso. Mi manca troppo il mio cane. Ho chiamato la dogsitter che ha provato a passarmelo al telefono, ma non mi ha dato retta. Vorrei tornare prima di Natale ma gradirei una conferma scritta che posso portare Pepe... il suo collaboratore insiste sul fatto che se è scritto sull'agenda posso stare tranquilla. Io non sono tranquilla per niente.»

Giacomo odiava le persone che parlano dei "collaboratori": per lui, era il modo più subdolo per definirli "sottoposti". Guardò il ragazzo con occhi comprensivi senza cambiare espressione. Prese uno dei fogli intestati dell'Abadessa e scrisse una conferma per la sciuretta ansiosa, con tanto di timbro. Lei piegò il foglio, lo mise in borsa e uscì altera e felice, pronta a riabbracciare il cane.

Fuori, in un giardino di luce, Rafael cercava di trovare un po' di conforto dopo un risveglio triste. Regina si era fatta viva con un sms freddo e laconico, in cui spiegava che il servizio fotografico era stato rinviato. Non aggiungeva "vieni a Milano", "mi manchi" e nemmeno un semplice "bacio". Eppure era stata lei a insistere perché Rafael la precedesse, non voleva fare il viaggio con lui e il fotografo per non sembrare poco professionale. Quell'sms non c'entrava niente con la Carmelinda dei suoi ricordi televisivi, che si struggeva d'amore per Carlos prima e Nelson poi.

Quando si è innamorati si pretende di essere una priorità, si crede di poter cambiare le persone e non si perde mai la speranza. Ma non sempre è così. "*It takes two, baby*" cantava beffamente Tina Turner da qualche finestra lontana, e aveva ragione.

Appena lo vide assorto, con gli occhi bassi, Giacomo rientrò nel salotto delle colazioni, fece un piatto con dolcetti e un panino al prosciutto, e tornò fuori. Rafael si sforzò di sorridere, il bambino che ritrova la mamma persa tra gli ombrelloni.

«Scusami per la foto di ieri. Però mi sembrava l'unico modo per risolvere il tuo problema.»

«Ma non è più un problema! Però grazie, davvero, ho apprezzato lo sforzo. Anche se non ti ho detto niente mi ha fatto piacere.»

«Tu sei proprio un grande, Jack. E senza quella stronza di Regina non ti avrei mai incontrato.»

«Non viene nemmeno oggi, vero?»

«No. Non mi ha neanche risposto al telefono quando l'ha riacceso. Ma perché la gente non risponde?»

«Per mille ragioni. Forse non lo sente, forse l'ha dimenticato... o forse hai ragione: non ti vuole rispondere. Magari ha paura di ferirti, o teme di sentirti urlare. Probabilmente è convinta che tu non le creda.»

«Infatti non le credo. Capisci che io lavoro, e non mi posso sputtanare le ferie e i soldi per una ragazza che non arriva.»

Giacomo gli mostrò il piatto della colazione ancora intatto, invitandolo. Ammirava quel coraggio nel parlare liberamente di denaro, cosa che al mondo sanno fare solo gli americani. Prima di andare avanti, ripassò mentalmente il codice bancomat.

«Per quanto riguarda i soldi, sei a carico dell'agenzia, ho controllato, quindi stai tranquillo. Anzi, cerca di cogliere il bello dell'imprevisto. So che tu non sei venuto qui per avere imprevisti, ma a volte non possiamo evitarli.»

«Vuoi aiutarmi, Jack?»

«Sono qui per questo.»

«Allora trovami le chiavi del campetto di calcio che c'è dietro questo muro. Ho bisogno di giocare a pallone.»

Per qualche minuto, Giacomo lo guardò stranito. Gli parve di risentire, nelle gambe, la fatica di trent'anni prima, quando avevano vinto il torneo scolastico contro ogni pronostico: doppietta sua, pareggio degli avversari, e gol finale di Salvo. Erano seguiti abbracci, grida, e la convinzione che i sogni esistono. Per tutta l'estate, si erano sentiti padroni del lago e del mondo.

«Il campetto è dell'oratorio, e don Luigino sarà felice di avere qualcuno che lo sfrutti un po'. I ragazzi ormai vanno tutti a giocare alle Fondamente Nuove.»

«...»

«Prima però promettimi di mangiare qualcosa.»

Non attese la risposta perché dovette correre a tenere sotto controllo gli arrivi. Rafael scelse di addentare il panino al prosciutto. Niente zuccheri, per lui, come da tradizione.

Il sole iniziava a essere tiepido mentre dalle calli si sentiva lo scampanellio dei bambini in cerca di monete per la festa di San Martino. Le canzoni dell'infanzia si assomigliano in tutto il mondo, pensava il carioca, mentre rivide davanti a sé la sua maestra delle elementari, la signora Arethusa, che cantava sempre a bocca aperta e lui si distraeva a contarle le otturazioni in oro.

Era ancora cosparso di briciole quando il rumore di un trolley echeggiò nell'aria prima di fermarsi sull'uscio.

«Vedo che non mi sono dimenticata la strada.»

«Buongiorno, signora.»

«È l'Abadessa, vero?»

«È qui. Vuole che l'aiuti con i bagagli?»

«Ma no, si figuri. Il concierge c'è?»

«CHI???»

«Il concierge... Giacomo...»

«Ah, cerchi Jack! C'è, anche se in questo momento è impegnato con me.»

«Ma non lo vedo...»

«Sì, perché mi sta cercando le chiavi del campo da calcio.»

Elena credette che la notte insonne, sommata al viaggio, le stesse dando il colpo di grazia, per cui si accasciò sulla Louis Vuitton originale da mezzo milione di dollari. Si guardò le gambe e vide con terrore che una calza si era smagliata proprio sopra il ginocchio. Perse momentaneamente il senno e tirò il filo penzolante fino a strappare la calza del tutto. Per un attimo, ne gioì soddisfatta. Si rese conto di aver peggiorato la situazione solo quando sentì delle voci a un passo da lei.

Don Luigino e Giacomo la trovarono seduta sulla valigia, con le mani sopra il ginocchio e i capelli che le coprivano il viso. Sentì i loro occhi trafiggerla come frecce. Un attacco di Braveheart mentre sei sull'amaca. Un caffè con sale e limone. Era impresentabile. Da sogno a incubo. Da Miss Italia a finalista a Chivasso. La sua rivincita con il destino stava per trasformarsi in farsa.

L'unico modo per salvarsi sarebbe stato gettarsi nel canale trascinando tutti giù.

11

Si guardarono negli occhi per qualche istante.

Attimi in cui tutto sembra scorrerti davanti. Pensi ai numeri portafortuna, a Fabio Cannavaro, a Fabio Grosso, a Vasco che canta: "È la vita ed è ora che cresci". Pensi soprattutto alla mamma. Cerchi di non ricordare l'ultima volta che hai sbagliato, quando l'emozione ti ha giocato un brutto scherzo. Cacci l'ombra funesta dalla mente ma mentre la cacci la riguardi per l'ultima volta, perché è più forte di te.

Il ragazzino prese la rincorsa e tirò.

Parata.

L'istinto di Rafael ebbe il sopravvento sul suo buon cuore. Afferrò la palla con le mani stringendola forte al petto. Voleva sentire che il suo polso dolorante – la spina nel fianco – avesse dimenticato quella frattura che gli aveva fatto lasciare il calcio. Un sogno infranto e ancora ricorrente, per quanto Rafael si fosse sforzato di non pensarci più. Ma anche l'Italia era ostaggio del football, non solo il Brasile, per cui era difficile dimenticare quando nel bar che frequenti non si parla che di stiramenti, adduttori, allenatori e rigori. Il polso reagì bene. L'ex portiere andò a complimentarsi con quel quindicenne spaesato e deluso, capitato lì per caso, attirato dai tiri a vuoto che Rafael stava facendo contro il muro per allentare il nervosismo.

«Dài, riprova. Hai davanti un ex professionista.»

«Sì però non si può sbagliare così... *te la go praticamente messa in boca la bala...*»

Te la go messa in boca. Te l'ho messa in bocca. *Te botei na cara do gol.* Rafael ritrovò in quella frase l'eco dei suoi compagni del Mirasol. Li rivedeva tutti insieme, il dito puntato contro di lui, dopo quella domenica di qualche anno prima. Al Mirasol sarebbe bastato un pareggio per vincere il campionato. Invece quel giorno pioveva, e la palla aveva preso un effetto malefico, il rimbalzo che capita una volta su un milione, e l'aveva beffato. Il gol della vittoria dell'União Barbarense era avvenuto a tempo scaduto, seguito dall'invasione di campo dei tifosi, la festa annullata, lo sguardo feroce della squadra che lo fissava con odio, senza appello, tra tuoni e fulmini. Avrebbe dovuto pararla e basta.

L'incubo di quel tiro – che a volte si trasformava in un sogno in cui riusciva a pararlo – lo avrebbe accompagnato a lungo, fino a quando non si ruppe il polso in partita. Forse gliel'avevano tirata i suoi stessi compagni, quella maledizione, e non solo per l'errore. Perché era diverso da tutti: aveva studiato un po', lui, sapeva stare a tavola, e piaceva alla dirigenza per il suo *savoir faire*, oltre che per le doti calcistiche. Era apprezzato soprattutto dal signor Moreiro, ma solo perché sapeva stare zitto, e mai lo avrebbe ricattato per qualche debolezza carnale che Rafael aveva soddisfatto in cambio di *reais* e regalini. Una volta gli aveva comprato degli scarpini nuovi e lui, per ringraziarlo, gli aveva offerto qualche effusione extra.

Si avvicinò al ragazzino e rimise il pallone sul dischetto.

«Quando calci un rigore, la cosa più importante è non guardare in faccia il portiere. Tu mi devi vedere e non mi devi vedere, chiaro?»

«Sì.»

«Devi fare finta che io non ci sia.»

«Ma come faccio?»

«Non guardarmi negli occhi. Io devo sembrarti un ostacolo come possono essere il palo e la traversa.»

Il ragazzino lo fissava perplesso ma estatico. Era un calciatore vero. Era un calciatore brasiliano. Il mito delle figurine che esce dall'album e ti svela i trucchi del mestiere.

«Poi devi decidere un punto preciso e tirare lì, come se fosse il centro di un bersaglio.»

«Ma se tu sei il portiere, come fai a sapere come si tira un rigore?»

«Me l'ha detto il mio amico Diney. Il più grande rigorista dell'ultimo campionato... per questo, quando stanno per tirare un rigore, cerco sempre gli occhi del calciatore. Se lui mi guarda, ho qualche possibilità di prenderla o che lui sbagli. Ti è chiaro, ragazzo?»

«*Ciaro... posso tirar da novo?*»

Il silenzio intorno a loro rendeva le parole ancora più solenni. Rafael tornò alla porta di quel campetto sbocciato in mezzo alle case, il ragazzino chiuse gli occhi per concentrarsi – o forse per ripassare i consigli – e puntò sul sette. Si sforzò di non guardare il portiere. Cedette un istante ai suoi occhi neri, ma riuscì a non perdere il controllo.

Tiro.

Rete.

Bella e vera. L'urlo di gioia liberatorio venne interrotto da un applauso composto, timido quasi, ma molto ritmato. La signora Silvana si era affacciata al cancello e batteva le mani divertita.

«C'era uno stadio qui dietro e non c'ero mai entrata.»

«Signora Silvana, non esageri... questo è il campetto della parrocchia.»

«Non importa. Alla mia età ogni cosa nuova fa spettacolo. Vi spiace se mi siedo un po' a guardare? Sono in anticipo sul mio tramezzino, Giacomo sembra scomparso dalla locanda e nessuno mi fila di striscio.»

Rafael guardò il ragazzo e gli fece l'occhiolino, chiedendogli il consenso per farlo sentire importante. Lui annuì, non aveva scelta, e continuò a tirare rigori con esiti alterni. Più tirava, meno guardava Rafael, e soprattutto meno si sentiva addosso gli occhi della signora Silvana, che commentava ogni gesto come fosse una telecronista esperta: "*Sto zogador podaria andar in Nassional!*". Erano le undici e mezzo di un giorno che quel ragazzo difficilmente si sarebbe scordato: il San Martino in cui aveva vinto la paura di tirare un calcio di rigore.

Quando la signora fece cenno di andarsene, Rafael le chiese di fermarsi ancora un attimo. Era sudato e cominciava a patire quegli occhi adolescenti che lo idolatravano. Gli diede una pacca sulla spalla – si chiamava Duccio – consigliandogli di esercitarsi con qualcun altro. Poi gli lasciò le chiavi da restituire. Il bambino bofonchiò qualche frase in veneziano e tornò a tirare i suoi calci da solo.

Malgrado l'ascella pezzata, quel momento calcistico aveva restituito a Rafael buonumore e appetito. Porse il braccio alla signora Silvana e chiese se poteva accompagnarla.

«*E che problema ghe sarìa, fiol mio?* Ti offro un tramezzino qui sulla Strada Nova. Ti va?»

«Con lei mi va tutto.»

«Lo sai che anche Kenneth andava pazzo per i tramezzini?»

«Signora... ci starà mica provando con me?»

Lei cominciò a ridere, anche se era una risata isterica, la sua. Quella mattina, durante la lettura dei necrologi, era spuntato un nome a lei familiare: "Ci ha lasciato GISELDA TREVISAN. Ne dà il triste annuncio la nipote Matilda". Non c'erano altri nomignoli a seguire, solo l'appuntamento in chiesa per il rosario. Giselda, la sua compagna di scuola, l'unica coetanea con cui aveva qualcosa da dire, era morta. E aveva solo una nipote. Ma ciò che più l'aveva sconvolta era sapere che presto sarebbe toccato a lei. Per esorcizzare quella paura, era uscita truccandosi gli occhi di viola, e ingozzandosi di bignè da Rosa Salva. Voleva illudersi che non fosse successo niente.

«Mi sarebbe piaciuto avere un nipote come te, Rafael. Invece non ho nemmeno un figlio.»

«Mi spiace...»

«Non ti devi dispiacere. Ci si può dispiacere solo degli errori commessi, e io non ho commesso errori, almeno non in quel campo lì. Avrei voluto fare un figlio con una persona che in un certo senso mi rispecchiasse, e quella persona non l'ho trovata. Probabilmente neanche Kenneth sarebbe andato bene... era troppo innamorato di sé per avere qualcosa da dare a un bebè che chiede attenzioni. I figli si fanno in due, non dimenticarlo mai. E poi sarei stata una madre troppo opprimente.»

«Invece secondo me sarebbe stata brava. Un po' matta ma brava.»

«Comunque si vede che vieni da un altro mondo, tu.»

«Lo riconosce dall'accento?»

«Solo un nipote vero accompagnerebbe una donna come me a mangiare un tramezzino.»

In realtà, non era così sicura di desiderarlo ancora, perché i bignè le si erano piazzati sullo stomaco. Avrebbe voluto togliersi il cappello e mettersi a piangere, ma non voleva che la tristezza l'avesse vinta. Rafael intuì qualcosa ma era troppo distratto per provare a capire. Accarezzandole il braccio, ripensò ai suoi primi mesi a Milano. Non aveva soldi, non conosceva la lingua, ma non aveva nessuna intenzione di vendere il proprio corpo come facevano molti suoi connazionali. Aveva già dato in Brasile e si era detto "mai più". Per cui si era accontentato di vivere nella cantina della pizzeria dove lavorava. Una stanza nel sottosuolo con una brandina e un bagno minuscolo, senza riscaldamento, senza la luce del sole che entra a scandire il tempo. Senza nessuno con cui condividere un'emozione. Ma se non avesse provato quelle condizioni estreme, non avrebbe trovato gli stimoli per togliersi da lì, la sera di Capodanno in cui la sua vita avrebbe preso un nuovo corso. La città in festa non lo faceva dormire, così era uscito per allentare il senso di quella disperazione. Fuori, ad aspettarlo, una bicicletta senza lucchetto vicino a un palo. Ci era salito sopra e aveva preso a pedalare senza sapere dove, mentre le lacrime scendevano accompagnate dai botti. Si era fermato dopo un paio d'ore davanti a un crocchio rumoroso di gente, a Trezzano. Dietro la folla, un cartello: CERCASI BARISTA.

Dalla sera dopo sarebbe diventato uno dei pilastri del Tonga Bar – il locale più kitsch della Lombardia – potendosi addirittura permettere una stanza con finestra insieme ad altri brasiliani.

Ma il periodo d'isolamento in cantina l'aveva portato a dare un nuovo valore alle persone, a non selezionarle più in base alla bellezza, al sesso, ai gusti. Un po' come i cani, che non badano a come sei vestito, alla tua casa, a chi porti a letto. Ti accettano per come sei e per quello che gli dai. Chiunque gli si avvicinasse era quindi il benvenuto, perché chiunque, anche solo rivolgendogli la parola, gli avrebbe alleviato la fatica. Di Silvana, ad esempio, non vedeva le rughe, ma il cappello bizzarro. Non si concentrava sulle palpebre cadenti, ma sull'ombretto con cui le truccava. Senza conoscerla – e non la conosceva, altrimenti l'avrebbe consolata – la considerava già la vecchia zia che ti regala parole affettuose, anche se sempre le stesse: "Assomigli a Kenneth", "Mi sarebbe piaciuto un nipote come te", "Assomigli a Kenneth", eccetera.

Si sedettero in un baretto fuori, a due passi da Campo Santi Apostoli. Alla signora Silvana veniva da vomitare, ma si sforzò di resistere. Ordinò il solito per due. Poco dopo arrivarono spritz bianchi e tramezzini al prosciutto. Rafael distese le gambe e alzò il bicchiere per un brindisi. In quell'istante, si dimenticò di Regina e del perché si trovasse in quella città.

12

«Ne vuoi un altro?»

«Sei pazzo?»

«Dài, ne prendiamo un altro e lo dividiamo.»

«Ma... io mi sento grassa solo all'idea.»

«Sai che quando si è felici si assimila meno? La serotonina accelera il metabolismo.»

«E cosa ti fa pensare che io sia felice?»

Cinque anni annullati in poche ore. Cinque anni a scriversi dandosi del lei – neanche vivessero dentro un film in costume – e ritrovarsi, in un attimo, più intimi che mai. Galeotta era stata, comunque, la calza smagliata. Le convenzioni cadono nel momento del pericolo e per una donna, una donna come Elena, peggio di quell'incidente poteva esserci solo un pezzo d'insalata tra i denti incisivi. Viveva in funzione degli altri ed era convinta che non c'è impresa più difficile di riuscire a cambiare la prima impressione.

Giacomo però quel mattino non badava troppo alle apparenze, non vide nemmeno che scarpe indossava. In realtà le notò – due tacchetti da sei centimetri – ma si guardò bene dal definirle *esageruma nen*, come avrebbe detto lei. È il bello dell'innamoramento: gli occhi vedono solo cosa gli fa comodo. A lui bastava che lei fosse sola, e che non fosse cambiata più di tanto da come la ricordava.

Di fatto, era lo stesso quadro immaginato ma senza la cornice barocca che lo appesantiva la prima volta. Gli occhi un po' stanchi, il volto tirato, ma i tratti erano esattamente gli stessi.

Aveva cercato di parlarle standole di fronte, perché temeva che l'adipe accumulato negli ultimi tempi avesse potuto rovinare il suo, di quadro. Per cui aveva trattenuto a lungo il fiato, mentre lei litigava con il collant.

Non era stato certo l'incontro romantico che i due, a fasi alterne, avevano immaginato, ma l'emergenza li aveva aiutati a vivere il momento con più leggerezza.

Si erano scambiati pochi convenevoli, giusto una stretta di mano che Elena aveva pensato di stritolare, le capitava ogni tanto. E dopo una doccia in camera – le aveva riservato la stanza smeraldo – alla signora era venuta voglia di un gelato da Nico. «C'è ancora?» aveva domandato. E lui aveva cominciato a sognare. Era partito a fantasticare su quell'amore irrisolto, lasciato in sospeso come le altre volte, per il terrore di fallire o per la paura di lasciarsi andare. Solo Elena, per una ragione che a lui stesso sfuggiva, era riuscita a smuoverlo. O forse la ragione era che anche lei, in fondo, era un'imbranata, e questo era bastato a renderli goffamente complici.

Ora continuava a sorriderle beato, in quel dehors alle Zattere davanti alla Giudecca, mentre lei provava ad anestetizzare il dolore che non l'aveva ancora abbandonata del tutto. Era crollata in treno, è vero, ma al risveglio non si era sentita sollevata per niente. L'ingegnere non aveva nemmeno provato a fermarla, solo un messaggio sul telefonino quando lei stava cambiando binario a Milano. "Non c'è mai un momento esatto per porgere le scuse, ma non dovrebbero arrivare né troppo vicine né troppo lontane al dispiacere" si diceva Elena ripassando il bon ton. E l'ingegnere non aveva la più pallida idea di come impostare il calcolo. In fondo, non era così secchione.

Durante il viaggio aveva pensato soprattutto alle figlie, a come avrebbero reagito alla sua assenza per una volta non annunciata. Però nelle umane difficoltà gli umani trovano soluzioni a tutto, e anche l'ingegnere sarebbe riuscito nell'impresa di rendere ogni cosa credibile. Ma ci sarebbe riuscito veramente?

Elena sentì la necessità di allontanarsi un attimo dal suo gelato e dal suo amore ritrovato. Libero, dava libero.

Il marito rispose con voce dolce, solo un velo di preoccupazione nascosta dietro domande banali. «Tutto bene» ripeteva Elena. «Poi ne parliamo. Non ti preoccupare. Tutto bene. *Tut bin.* Saluta le pupe. *Tut bin. Tut bin.*»

Tut bin un cazzo. Non ebbe il coraggio di gridare.

Una maschera in frantumi, improvvisamente. Frasi di circostanza che acuivano il suo dolore, perché sottintendevano tutte le parole non dette. "Ma troverò una soluzione" urlava Elena dentro di sé, "costi quel che costi." Non si bada a spese.

Tornò al suo romanzo d'appendice senza aggiungere una parola che confermasse il proprio turbamento. Giacomo era troppo teso per pensare, e soprattutto troppo preoccupato di nascondere la pancia, paranoia che non aveva mai avuto in vita sua. "Da domani dieta" pensava, mentre guardava quella bontà al cioccolato sciogliersi nel cucchiaino. Davanti ai suoi occhi si palesava la possibilità di un bacio e questo lo spingeva ad affrontare la situazione con una certa baldanza.

«Scusami ma non avevo ancora chiamato per sapere come stanno le pupe.»

«E come stanno?»

«Non lo so. Credo bene. Sono io che sto un po' così.»

«Lo so.»

«Si vede tanto?»

«Per capire le persone basta saperle guardare.»

«Ma tu sei proprio sicuro di avermi capita, Giacomo?»

Elena inspirò l'aria temperata della laguna e finalmente recuperò un contatto con il proprio corpo. Per un attimo, si ritrovò adolescente, quando la sua armatura piccolo borghese era ancora fragile, quando le bastava tutelarsi dietro un rampollo della collina e andava *tut bin*. Risentì per la prima volta le emozioni rimetterla in gioco, anche se era soprattutto dolore quello che provava, oltre al timore-eccitazione di vedere Giacomo così vicino, così sicuro di sé, lui e la sua pancetta esibita. Non le era passato per la testa che fosse in preda al panico e che la stesse trattenendo vistosamente, ma non tutti sanno guardare le persone.

Per lei, era il giorno meno convenzionale della sua vita: in rotta con il marito, lontana dal suo negozio e dalle parole del commesso. Vicina a un uomo di cui si era invaghita per i modi, prima che per il corpo, e per il fatto che vivesse lontano e fosse quindi una tentazione solo teorica, uno sfogo epistolare per rassicurare l'autostima. Si era invaghita di lui anche perché nessun altro ci aveva veramente provato con lei. Neanche Carofiglio, quando le aveva scritto una dedica meravigliosa e a lei, toccandogli il braccio, era sembrato il *Mosè* di Michelangelo.

Lo guardò negli occhi e finalmente lo vide. Lo riconobbe. Risentì la voce di quella prima volta – vuole un prosecco, *madame*? –, ritrovò i baci rubati sotto le scale.

Si passò una mano tra i capelli e ripensò alla sua immagine allo specchio, la sera prima. Quella che le aveva tolto ogni certezza.

«... dovrei dirti una cosa...»

Se lo aspettava, Giacomo. Ecco che fa retromarcia. Già pentita di questo momento troppo confidenziale per una donna sposata.

«Dimmi tutto, Elena.»

«Un parrucchiere. Ho bisogno di un parrucchiere. Subito.»

«Un parrucchiere?»

«Non vedi che testa ho? Se stasera andiamo a cena fuori non posso essere impresentabile.»

La frase più stupida e più bella che Giacomo potesse sentire in quel momento. Le gioie più grandi, quando ami, sono piccole sorprese. La cena, si aspettava la cena, e se l'aspettava con lui. Due sere fuori consecutivamente non se le era concesse neppure quando lavorava al Ritz.

La guardò negli occhi e finalmente la vide. La riconobbe. Risentì la voce di quella prima volta – "no, grazie, se bevo ora mi gira subito la testa" –, ritrovò i baci sotto le scale.

I capelli non erano perfetti, certo, ma gli anni non avevano per niente inquinato il ricordo di quei giorni. Giacomo ci si aggrappava spesso, a quelle sensazioni, ma senza mai crogiolarsi nel rimorso o nella malinconia. Per lui quell'emozione era carburante da usare nei giorni di riserva, la legittima rivendicazione di chi conosce lo sconquasso emotivo dell'innamoramento. Soprattutto, quell'idealizzazione lo aveva liberato dall'incubo che appariva ogni tanto a disturbargli il sonno.

Pensò a quale parrucchiere sarebbe stato più adatto e si ricordò della strafottenza di Elena per il denaro e i suoi significati – non si bada a spese, fin dagli inizi – per cui le prese appuntamento da Marco Todaro, l'hair stylist internazionale, aperto sette giorni su sette, con salone sul canale e foto con Meryl Streep.

Elena e Giacomo cominciarono finalmente a rilassarsi e a lasciarsi trasportare dai passi. Oltre alla prenotazione dal parrucchiere, a ringalluzzire l'umore di lei ci avevano pensato anche le pupe, che avevano chiamato appena tornate da scuola. Sentirle allegre e ignare delle turbe familiari le aveva dato l'illusione che tutto potesse essere ancora risolvibile. Per la prima volta, da quando si erano visti, prese Giacomo sottobraccio. Un gesto ambiguo, perché più amichevole che passionale, ma lei con quella mossa si credette proprio una *femme fatale*.

Lui la lasciò fare, anzi muoveva il gomito per sentire più forte quel contatto, e cercò la strada più suggestiva per portarla a risistemare la chioma. Ma non era troppo lucido, per cui sbagliò calle un paio di volte senza che Elena se ne accorgesse. La salutò sfiorandole le labbra – lei avrebbe desiderato lo stesso bacio dell'ultima volta –, spiegandole poi come tornare alla locanda. Lei annuì distratta perché cercava di ricordare a che ora di quel giorno sarebbe entrato Marte nel suo segno. Marte le avrebbe sicuramente dato le forze per affrontare al meglio la serata adulterina.

«Alle sette e mezzo nella hall va bene? Così beviamo un aperitivo.»

Non aggiunse *madame*, ma lei non ci rimase troppo male. Sì, Marte doveva essere entrato già da quasi mezz'ora. Le scappò un *va bin* che lui colse come un tocco esotico. La salutò con la mano e rientrò in albergo con la stessa gioia dei bambini che intonano le canzoni della festa. Ogni tanto saltava a piè pari e gridava "*Yes!*". Era tornato a fare gol, e ci era riuscito senza Salvo Brancata.

Non appena varcò l'ingresso, scoprì che anche Frida avrebbe alloggiato alla locanda quella sera, ospite di un cliente. I ragazzi gli riferirono che lei confidava nella sua discrezione.

13

Era un patto non scritto tra Giacomo e i suoi ragazzi.

Quando Frida chiamava, loro dovevano fare di tutto per trovare una soluzione, senza provare imbarazzi o sparare giudizi. "Un bravo direttore deve capire ma non sapere, e voi potreste diventare dei bravi direttori. Mica potete stare alla reception tutta la vita!" Così li spronava ogni tanto quando si lasciava andare. Lui non era propriamente un direttore classico, ma il conte Gallina aveva bisogno di una figura eclettica come la sua per gestire quella struttura lussuosa con poche camere. Un concierge tuttofare, responsabile e di fiducia. Certo, se il conte avesse saputo che una delle sue camere ogni tanto veniva occupata da una zoccola e da un politico arrapato, avrebbe pensato che bisogna sempre dubitare delle persone. Anche se a lui importava solo che i conti tornassero per poter giocare al casinò.

Giacomo risalì in camera e realizzò che non aveva ancora completato il suo trasloco. Le scarpe erano fuori dall'armadio e chiedevano attenzione. Cosa avrebbe detto lui stesso di una persona che aveva le scarpe come le sue? Ci rifletté un attimo e non gli venne in mente nulla.

Le camicie giacevano impilate su uno dei comò ma non erano state ancora riposte. L'unico angolo in ordine era lo scrittoio con il suo quaderno. Lo sfogliò, perché quello era l'album di fotografie che non avrebbe mai avuto, e che lo aiutavano a ricordare.

L'avvocato Guglielmotto è proprio una brava persona. E poi è vegetariano! I vegetariani hanno sempre una gentilezza particolare, forse perché sono abituati a dover chiedere sempre (*no fish no meat*, ripetono allo sfinimento). Se il bagno ha una perdita, per esempio, te lo dicono alla fine del soggiorno o solo se sono costretti, poveri cristi. O forse c'entra che l'avvocato è ligure, e i liguri prima di protestare ce ne vuole. Non ho capito (ma in realtà non ho voluto sapere) cosa c'è venuto a fare qui. Forse una causa in tribunale, o una festa. Ma non mi stupirebbe nemmeno un incontro clandestino. Venezia in questo è un po' prevedibile, ma il vantaggio per gli amanti è che non delude mai.

Gli avvocati penalisti sono una categoria bizzarra. Più pazzi di loro ci sono solo i medici. Sarà che entrambi, a modo loro, devono salvare vite, e questo li porta nel privato a essere scanzonati. È proprio forte il signor Guglielmotto. Poi aveva queste scarpe lucide con una fibbia stranissima, mai vista una roba del genere. Sembra che non sia mai stato in un hotel di un certo livello perché ringrazia tutti come se fosse la prima volta che riceve un trattamento simile. E poi è l'unico cliente, da che faccio questo lavoro, che mi ha chiesto il filo interdentale prima di uscire!!! Ieri sera gliel'ho procurato e lui se n'è spuntato con: «Ce l'ha anche non cerato?».

Mi sarebbe piaciuto diventargli amico e offrirgli un'ombra di vino in qualche bacaro a Rialto. Mi hanno detto che quando è rientrato stamattina quasi non si reggeva in piedi ma ha continuato a ringraziare tutti come se gli stessero portando su la valigia.

Rivide la scena davanti a sé. Sì, l'avvocato Guglielmotto se lo ricordava eccome, con quella testa piccola e il tatuaggio che spuntava dal collo. Eppure erano passati due anni da quando era transitato dalla locanda.

Chiuse il quaderno e si mise davanti allo specchio. In mutande. Trattenne il fiato, guardandosi ora di fronte, ora di lato. Ora di schiena. La pancia si vedeva solo di profilo, ma non più di tanto. Perché non aveva mai fatto esercizio fisico? Camminava veloce, è vero, e saliva a due a due le scale dei ponti veneziani. Ma quelle maniglie che restavano pizzicate tra pollice e indice non dovevano proprio essere lì. Frida non gliele aveva mai fatte notare – d'altronde faceva parte del suo lavoro – e lui non aveva mai sentito la necessità di analizzare il proprio corpo, perché al fisico, da anni, non dava più importanza. "Se la tua autostima non è alle stelle, della pancia t'importa solo se ti piace qualcuno" aveva letto su "Ok la salute prima di tutto". E Giacomo quasi non ci pensava più, che gli sarebbe potuto piacere qualcuno. Avrebbe voluto bussare alla stanza di Frida, rinchiusa col cliente due porte più in là, per protestare. Mortificarla mentre si concedeva all'imprenditore di turno. A lei, in realtà, avrebbe fatto piacere. Era in balia di un grassone che le strappava a morsi le calze a rete.

Un brivido percorse la schiena di Giacomo. Le uniche due donne cui aveva dedicato pensieri e desideri negli ultimi anni soggiornavano ora sotto lo stesso tetto, anche se Elena non era ancora rientrata.

Era stato bello rivederla. Bello perché insperato e perché non sembrava cambiata più di tanto. Soprattutto bello perché il suo cuore non si era sbagliato, anche se il fantasma del marito aleggiava intorno a lei. Si guardò in giro e per la prima volta il disordine non lo mise a disagio, anzi. Lo fece sentire giovane e spensierato, anche se non riusciva a stare fermo un attimo.

Tornò allo specchio e cercò di ricordare che faccia aveva in quell'attimo rubato da Rafael con il telefonino. Poi si buttò a capofitto dentro uno scatolone e tirò fuori la foto con Salvo nascosta in mezzo a *Bel-Ami*. Nella prima pagina, c'era una dedica: "Ricordati che io sono stato, sono ancora, e sarò sempre, tanto Giacomo quanto te.

Salvo". Prese in mano la Polaroid. Prima di riguardarsi, ebbe un sussulto di speranza, che svanì in pochi secondi.

Era venuto proprio male.

Ed era l'unica foto cui tenesse.

In cerca di conforto, sfogliò il diario fermandosi su una pagina precisa, e ricominciò a leggere. Ad alta voce.

Il cliente della numero 14 è uguale a Salvo, e io non sono riuscito a mantenere la calma, quando stamattina l'ho visto andare via. A tal punto che mi ha chiesto se andasse tutto bene, perché continuavo a fissarlo. Pure l'accento era simile, anche se Salvo è catanese e quest'uomo è nato a Siracusa. Avrei voluto chiedergli qualcosa in più di lui, se magari lo conosceva o se erano parenti, al Sud sono sempre tutti parenti. Ma mi sentivo colpevole e invadente, per cui sono stato zitto. Però non riuscivo a non pensare a Salvo, vedendolo. Nessuno avrebbe dovuto rovinare un'amicizia così bella, ma ho fatto tutto da solo. Non avrei mai dovuto lasciare che una ragazza s'intromettesse tra di noi, ma all'epoca non ci pensavo. Non pensavo a niente perché ero felice. Seguivo l'istinto, e non sapevo ancora che l'istinto è egoista, feroce e non guarda in faccia nessuno.

Se non avessi seguito il mio istinto e l'avessi trattenuta, quella ragazza, forse io e Salvo oggi saremmo ancora amici.

Ma perché l'ho lasciata andare via? Perché? Ci sono sacrifici che a volte bisogna fare, ma io a diciotto anni non volevo sentire parlare di sacrifici: ero orfano, gravavo sulle spalle di mio zio, e dovevo portare rispetto al cognome di mio padre. Non potevo permettermi colpi di testa o cazzate. Avrei tanto voluto raccontarglielo, a quel cliente stamattina, e lui se ne dev'essere accorto, perché mi guardava come si guardano i disadattati. Alla fine l'ho lasciato andare via, anche se avrei tanto voluto abbracciarlo.

Voltò pagina, e deglutì. Riprese in mano la foto, la guardò ancora un attimo e la mise in mezzo al quaderno.

Decise di non pensarci più e riaccese il televisore spento da settimane.

Dopo un domandone finale, il meteo spiegato da una sciacquetta, l'inizio del Tg regione, un'alluvione in Pakistan, e la felice scoperta che la Prima guerra d'indipendenza è iniziata nel 1848, trovò Jill Cooper che vendeva una macchina ginnica a 299 euro. Lì si fermò. Due ragazzi illustravano esercizi e risultati dentro corpi invidiabili.

Completamente in balia del tubo catodico, Giacomo cominciò a fare gli stessi movimenti ai piedi del letto anche senza la macchina miracolosa. Prima una serie da quindici. Poi un'altra. Poi un'altra ancora. Alla fine stramazzò, esausto, e spense il televisore. Anche l'ombra di Salvo Brancata si era dissolta nel sudore.

Erano anni che non faceva addominali. Ma quella sera doveva cenare con Elena e non si sentiva per niente adeguato. Il nero, doveva trovare qualcosa di nero. Subito. Tornò a essere padrone della situazione e finì di sistemare la sua roba.

Prima, ovviamente, fece spazio alle scarpe. Poi mise le camicie nei cassetti, appese le cravatte nell'armadio insieme a un trionfo di gessati e a qualche gilè di cachemire. Alla fine lo vide. Un cardigan nero con cerniera. Taglia perfetta, taglio perfetto. Unico difetto: non era suo. Lo aveva dimenticato un cliente in camera qualche giorno prima e Giacomo si era preso la briga di metterlo in una scatola per spedirglielo personalmente con un biglietto. Ma giaceva ancora lì. Che fare? Disobbedire all'etica di una vita per provare a sembrare più magro per una sera? Disobbedì.

Ancora sudaticcio, indossò una camicia a caso e sopra infilò quella maglia mandata da un cielo amico. Gli calzava a pennello. La cerniera lo faceva sentire dentro un'armatura e la pancia pareva scomparsa. Scomparsa anche di profilo. L'annusò, quella maglia, e sapeva di Coccolino, probabilmente non era stata messa neppure una volta. Si rispogliò in fretta, inutile indugiare quando si è presa una decisione, e s'infilò di nuovo sotto la doccia. Era la terza di quel giorno.

L'acqua calda faceva evaporare i suoi pensieri lasciando vivi solo Elena e la sua serata con lei. Non avrebbe prenotato nessun ristorante di prestigio, né un bacaro tradizionale, perché non voleva darle l'impressione di una seduzione organizzata e prevedibile. Il tavolo a lume di candela va bene per gli amanti alle prime armi o per due piccioncini già collaudati, non per ragazzi over quaranta che non hanno ancora chiaro cosa vogliono dalla serata e, forse, dalla vita.

E mentre si confortava della sua decisione, un momento di panico interruppe quella pace. I soldi. Non aveva abbastanza contanti con sé – non si bada a spese – ed era in ritardo. Tra esercizi fisici e di stile, Giacomo non si era accorto che si erano fatte le sette. Chiuse l'acqua e si asciugò in fretta. Mise camicia chiara, pantaloni grigi e terminò il completo con il cardigan nero. Si sentiva un figurino. Calzò le Church's e si precipitò fuori senza salutare il ragazzo alla reception, che non lo aveva mai visto senza cravatta. Ma a Giacomo, in quel momento, non interessava di niente e di nessuno. Voleva un bancomat, e lo voleva subito.

Arrivò sulla Strada Nova e si fermò al primo sportello disponibile. Un paio di stranieri stavano prelevando e sembrava che stessero facendo la scalata a Wall Street, tanto erano lenti e meticolosi in ogni operazione, ossessionati dalle truffe made in Italy. Finalmente toccò a lui. Infilò la tessera. Prelievo disponibile. Come da prassi, la macchinetta si mise a chiedere l'autorizzazione alla sua banca. Vuoi che la banca non autorizzi? Certo che autorizza. Digitare codice segreto. Il codice segreto, certo. Lo sapeva. L'aveva sempre saputo. Provò una combinazione che gli suonava familiare. Codice errato. Riprovare. Panico. Tutto quel timore ingiustificato di perdere un codice e poi la profezia si autoavvera come in un clichè. Giacomo interruppe l'operazione e guardò l'orologio. Erano le sette e venti. Ancora in tempo per tornare in stanza, cercare la busta, rileggere il codice, uscire, prelevare, e poi prelevare una donna da urlo.

I passi si mossero veloci, sempre più veloci, noncuranti degli ostacoli, delle carrozzine, dei turisti zaino in spalla in cerca di menu a poco prezzo.

Senza rendersene conto, Giacomo aveva iniziato a correre.

14

Rafael non si era mai sentito a suo agio come quella sera, mentre spostava arredi antichi e vassoi argentati.

Con la complicità di uno dei ragazzi, aveva allestito in un angolo nascosto della hall un vero e proprio bar per offrire un aperitivo alternativo. Niente prosecchino, a questo giro. Neppure per la signora Silvana, che si era presentata alle sette in punto per sedere sulla poltrona nell'angolo. Era passata a dare l'estremo saluto a Giselda e ne era uscita piuttosto abbattuta: tra parenti e amici, non c'erano più di cinque persone. "Tu passi tutta la vita a farti il mazzo, e poi solo in cinque ti dicono grazie? Ingrati" pensava, anche se non aveva voglia di parlarne con nessuno.

Il tavolo era un inno alla caipirinha. Rafael aveva girato un paio di botteghe per procurarsi gli ingredienti necessari, mentre i ragazzi avevano tirato fuori i bicchieri delle feste, un servizio del conte Gallina usato in occasioni speciali.

Ognuno sentiva che c'era un'atmosfera particolare. Conoscevano abbastanza Giacomo per non aver intuito che qualcosa di bello stesse attraversando la sua testa, ma ne avevano troppo rispetto per accennare un pettegolezzo. Si guardavano e si capivano, come tutti i colleghi abituati a osservare ogni giorno chi comanda. Si erano guardati soprattutto quando lo avevano visto con quel cardigan che loro stessi gli avevano consegnato – *el majon no lo doveva spedir al cliente?* –, ma non era il momento di fare domande.

La signora Silvana assaggiava la caipirinha con la diffidenza di chi per nulla al mondo avrebbe cambiato abitudine, ma quel giorno l'alcol le serviva per non piangere.

Dopo un po' di ansia iniziale, dovuta più ai bicchieri di cristallo che al loro contenuto, Rafael aveva cominciato a conversare con gli ospiti.

«E tu, è da tanto che fai questo lavoro?»

«Quale lavoro?»

«Quello che hai fatto per il signore, in camera, poco fa.»

«Cosa vuoi dire?»

«Hai capito benissimo, bella. Lui ha pagato la stanza, ti ha lasciato di nascosto una busta e ti ha chiesto di aspettarlo stasera... perché se si libera torna. Che lavoro potresti fare? Fammi pensare un po'...»

Frida era sul punto di prendere Rafael e ammazzarlo di botte, tanto era stato chirurgico nella sua analisi. Non poteva certo immaginare che anche lui aveva venduto il suo corpo, qualche anno prima, sebbene sempre alla stessa persona, facendo sempre le stesse cose, e quasi sempre alla stessa cifra. Lei era abituata a fugare i sospetti sbattendo un attimo le ciglia, ma quella volta le ciglia si erano attorcigliate per il troppo mascara. Il suo cliente era un grezzone che voleva la prostituta dei film, trucco pesante, tacchi e parolacce.

Tra le varie tipologie di *aficionados*, i "grezzoni" in realtà erano quelli che la divertivano di più: a letto amavano dire "godi troia", ma poi si mostravano generosi nelle mance. Molto diversi dai "vorrei ma non posso", che non riuscivano mai a chiedere quello che davvero desideravano, a parte lo sconto.

I peggiori erano i "minestrone", nel senso che non

si lavavano, anche se in giacca e cravatta. Nel caso, li metteva alla porta.

Ma i suoi preferiti erano i "vengo subito". Quelli che in preda all'eccitazione raggiungevano l'orgasmo in men che non si dica. Per fortuna era pagata a prestazione, non solo a tempo, altrimenti col cavolo che si sarebbe accesa un mutuo per acquistare casa a Castello con vista sui pozzi.

Avrebbe voluto raccontarle a Rafael, tutte quelle categorie merceologiche, ma era ancora ferita per l'affondo subito.

«E tu, ti prostituisci?»

«E perché dovrei?»

«Hai la faccia per poterlo fare.»

Rafael smise di pestare il lime e la fissò negli occhi. Rivide il signor Moreiro, la prima volta che gli aveva fatto capire cosa voleva. Aveva aperto il portafoglio mostrandogli cento *reais*, aveva aggiunto uno sguardo efficace, un pizzico di complicità e un accenno di minaccia, e gli aveva detto che sarebbero stati suoi se si fosse comportato bene. E lui l'aveva seguito in uno stanzino.

«Ehi, ragazzo, tutto bene? Scherzavo, dài.»

«Se ti fermi per un'altra caipirinha, dopo ti racconto.»

In un attimo, con una reazione degna di un agonista, non era più il brasiliano alla ricerca della telenovela. Era il protagonista di una nuova serie.

«Allora, ti va?»

Lei non rispose nulla, ma brindò. Non era abituata a ragazzi che non subivano il suo fascino, e questo la disturbava al punto di incuriosirla. Si toccò i capelli, cercando di allontanarli da quelli di Gesù. Rafael sentì che la risposta sarebbe stata affermativa, e bevve di gusto: era di nuovo in sella al suo destino. Provò a convincere gli altri ospiti a bissare la sua caipirinha, ma rifiutarono tutti. Guardavano con diffidenza la sua eccessiva esuberanza – "i soliti sudamericani" – e forse temevano che gliel'avrebbero addebitata sul conto. "E allora bevetevi il solito prosecco" protestò tra sé.

«Posso avere un prosecco?»

Si voltò di scatto e trovò Elena dietro di sé. I capelli fonati e biondi, un tubino bordeaux, una borsa con due "C" incrociate e una catenella dorata.

«Lei è la signora che si è rotta la calza stamattina?»

«Sì, ma la prego, non lo dica a nessuno.»

«*Minha boca è como un tùmulo...*»

«Scusi???»

«Sarò muto come un pesce... noi lo diciamo così.»

«Interessante. Lei è Capricorno?»

«Io sono Rafael e sono brasiliano.»

«Elena, molto lieta... io sono italiana. Comunque l'avevo capito che era straniero senza che aprisse bocca. Avrei detto marocchino, però. Ormai ce ne sono tanti anche da noi... siete dappertutto.»

«Anche *voi* siete dappertutto.»

Elena lasciò perdere – "ha la tipica strafottenza del Capricorno" –, si voltò verso Frida e le venne naturale presentarsi anche a lei. Si diedero una mano fredda, prima di dirsi «Frida», «Elena» davanti agli occhi spettrali di Giacomo, giunto in affanno dopo l'inutile corsa al bancomat.

Eccole lì, la bionda e la mora, veline per caso in un palazzo dell'antica Venezia. Giacomo cercò di darsi un contegno buttando un'occhiata in giro. Gli sembrò che la locanda non gli appartenesse più. Il tavolo dei liquori era stato spostato. Al posto dei calici da prosecco c'erano bicchieri di Murano pieni di caipirinha. A servire, un brasiliano che ammiccava alle presenti come se fosse su un cubo da discoteca. Solo in un piccolo quadro riconobbe lo spazio a lui familiare: la signora Silvana nell'angolo, vicino alla finestra. Aveva l'occhio di chi capisce tutto proprio perché lontano dal palcoscenico, e conosce l'umore della sala, anche se ogni tanto si assentava per ripensare a Giselda, buonanima. L'unica vera amica. L'unica che potesse capire come ci si sente quando non si può contare su nessuno, a parte i propri risparmi. Con quella stretta al cuore, la signora Silvana non era riuscita a intuire come stessero veramente le cose. Certo, che Giacomo fosse completamente andato era evidente. In cardigan nero, senza cravatta, in ritardo. Aveva ancora il fiatone.

«Buonasera a tutti... quante novità, stasera... potete scusarmi un minuto che salgo in camera?»

Frida lo guardò, Elena gli sorrise, la signora lo scusò. E Rafael gli fece l'occhiolino.

"Cazzo, cazzo, cazzo" avrebbe gridato non appena chiusa la porta della stanza. "Non si può dimenticare il codice bancomat quando hai la cena che ti solleverà dai dubbi della vita!" Ma lo specchio lo riportò alla calma: quel cardigan gli stava da dio.

Corse a cercare la scatola, l'aprì con attenzione e ritrovò la busta con il codice: 31999. L'ultimo Capodanno prima del Duemila, non era poi così difficile. In preda alla fretta, pensò che non se lo sarebbe mai ricordato. Prese la stilografica che gli aveva regalato Lady Diana quando era al Ritz, tirò su la camicia fino all'avambraccio e scrisse le simpatiche cinque cifre. Ci soffiò sopra alcuni minuti: ovviamente era il classico inchiostro che non asciuga subito. Perché non gli aveva regalato una Bic? Intanto cercava di riordinare le emozioni. Cosa ci faceva Frida con Elena? E perché Rafael gli aveva fatto l'occhiolino?

Si rimise a posto la camicia ma il suo sguardo venne nuovamente catturato dal cardigan. Era ok. Sarebbe stato ok. Si spruzzò due gocce di colonia sul petto e scese le scale a tutta velocità.

Si rese conto che era troppo tardi per uscire a recuperare nuovo contante, per cui confidò nella provvidenza.

«Allora, cosa succede qui? Sparisco un paio d'ore e arriva un nuovo barista dal Brasile che serve cocktail alle nostre ospiti?»

«Jack, volevo farti una sorpresa... ma prima sei scappato di corsa. Vieni e assaggia.»

Giacomo sfiorò gli occhi di Elena e di Frida contemporaneamente, ma fu solo lo sguardo della signora Silvana a dargli conforto. Prese il cocktail e ne bevve una lunga sorsata. Il calore misto al ghiaccio che sentì in gola gli procurò un sollievo immediato, e trovò finalmente il coraggio di parlare alle "sue" ragazze. Convenevoli, certo, ma andò alla grande.

Elena era meravigliosa, sorridente, più divertita che imbarazzata, l'adolescente in gita lontana dai genitori. Frida lo guardava come se non l'avesse mai visto, e non riusciva a credere che fosse lo stesso animale meccanico che le zompava addosso il mercoledì. Avvicinò il bicchiere prima a lui, poi a Elena, a Rafael e infine alla signora Silvana.

«A san Martino.»

«A san Martino» risposero tutti in coro.

Frida non seppe come le venne fuori quel brindisi a un santo – proprio lei, Maria Maddalena – ma voleva colpire Rafael mostrandosi a proprio agio con tutti. Una sua amica le aveva detto che ai brasiliani puoi toccare tutto, tranne la famiglia, il calcio, il carnevale e la Chiesa. E a lei era venuto in mente san Martino.

Rafael, in preda al testosterone, abboccò.

Giacomo fece finta di non capire, anche perché aveva la testa da tutt'altra parte. Elena l'aveva appena preso sottobraccio e lo stava portando via.

15

I passi rimbombavano nelle calli al posto delle parole.

Parole che sarebbero suonate un po' sconclusionate, se fossero state dette. Frida e Rafael avevano quindi deciso di ridurre al minimo i discorsi, lasciando che i gesti prendessero il sopravvento.

Dopo essersi punzecchiati nella hall dell'Abadessa, e dopo che "il grezzone" aveva dispensato Frida per la notte, i due avevano iniziato una partita a scacchi senza saper giocare. Per una volta, lei si era comportata come una ragazza della sua età in un posto dove non la conosce nessuno: poteva bere, baciarsi e sculettare in stile "pollastrella sulla riviera romagnola". Rafael era invece il classico maschio in cerca di conferme: si considerava scaricato da Regina e sentiva impellente la necessità di una gratificazione istantanea. "Corri, Rafael, corri" gli diceva nonna Esperança.

E lui aveva imparato ad accorciare i tempi. I due futuri amanti avevano iniziato a baciarsi davanti alle panchine di Santa Maria Nova e non avrebbero più smesso fino a Santa Maria Formosa. Camminavano a zigzag, anziché dritti, per potersi stringere di più. Pur essendo riscaldato dall'alcol, Rafael cominciò a sentire la laguna entrargli nelle ossa. Frida se ne accorse e propose una sosta in un bar per un cicchetto e uno spritz. Appena entrati, li guardarono neanche fossero Marilyn Monroe e Joe DiMaggio. La cosa li gratificò, e nemmeno poco, vanitosi che non erano altro. La bellezza era, in realtà, l'unica arma che sapevano padroneggiare. In questo, si assomigliavano molto.

«Allora, mi vuoi dire cosa ti piace del tuo lavoro?»

Lei lo guardò con una calibro pronta a sparare, senza sospettare che il suo interlocutore parlava con una certa cognizione di causa.

«Ancora con questa storia?»

«Perdonami, ma è la prima volta che esco con una *rapariga* e finalmente posso capire un po' di cose.»

«Una rapaché?»

«Una *rapariga*. Una *puta*, insomma... tu guadagni un sacco di soldi, d'accordo. Ma c'è qualcosa che ti eccita davvero?»

Lei proprio non se lo aspettava, un nuovo attacco. Nel film che si era già fatta, non poteva essere un uomo incapace di tatto. In realtà Rafael non voleva ferirla, né mortificarla. Ma era come se inconsciamente volesse convincerla che nella vita c'erano anche altre strade, magari più difficili da percorrere, ma che le avrebbero permesso di voltarsi indietro senza provare imbarazzo. Perché lui se lo sognava ancora, il signor Moreiro, che gli succhiava l'anima e il resto, e tutte le volte che si svegliava dall'incubo si alzava e si faceva una doccia: sentiva sempre addosso il suo odore nauseabondo. Frida era di una categoria superiore per potersi vendere. E per Rafael non c'erano tariffe che potessero compensare la sua vergogna. Lei sembrò quasi leggergli nel pensiero, perché di colpo si sentì sbagliata.

«Ti spiace se ce ne andiamo da qui?»

«Non ti senti bene?»

«No, ma preferisco stare fuori visto che vuoi parlare di certe cose.»

Prima di uscire, agguantò qualche calamaretto fritto. Non aveva la più pallida idea di cosa potesse passare per la testa di quella gatta morta.

«Frida, ti chiami Frida, giusto?»

«In realtà mi chiamo Enrica. Ma per tutti sono Frida, come la cantante degli Abba.»

«La bionda o la mora?»

«La mora.»

«In Brasile gli Abba li ballano solo ai matrimoni e al gay pride.»

«Mi fa piacere.»

«Frida, sentimi bene: non c'è niente di male a fare il tuo lavoro... insomma, sei bella, c'è gente disposta a pagare per stare con te e tu fai bene a farti pagare. Ma devi mettere in conto che nel momento in cui una persona lo sa poi non se lo dimentica.»

«Lo so. È per questo che non dico a nessuno cosa faccio. Tu ad esempio ti starai chiedendo se mi dovrai pagare o no, giusto? Conosco il mio pollo?»

Era vero, ma Rafael evitò di infierire. In fondo chi era lui per dire a qualcuno cosa fare? Che ne sapeva lui di cosa c'era dietro quella scelta? Lei sembrava sul punto di una crisi di nervi: tanto spietata quando si trattava di alzare un cachet, quanto vulnerabile davanti a uno sconosciuto che le piaceva sul serio.

«Forse non hai capito... noi stranieri siamo sempre troppo diretti perché non sappiamo bene la lingua.»

Da vero portiere, deviò la palla in calcio d'angolo.

«Ti scuso solo perché mi piaci.»

Il nuovo bacio fu senza fiato né interruzioni né movimenti. Ci mancava solo il casquet e i passanti avrebbero addirittura applaudito, tanto erano belli con la quinta dell'Arsenale sullo sfondo.

Ripresero il cammino felice di quando avevano lasciato la locanda pieni di speranze, come due bambini che si rimettono a giocare dopo essersi menati a sangue.

«E così vorresti sapere come funziona. O vuoi sapere perché lo faccio?»

«Come funziona lo posso immaginare. Perché lo fai, no.»

A lei era passata improvvisamente la paura. Erano fuori, nella notte, e per una volta passeggiava con qualcuno che le dava emozione.

«Lo faccio perché una volta mi è capitato. Mi hanno proposto di accompagnare a una cena un imprenditore di Vicenza...»

«Di Vicenza?»

«Di Vicenza. Conosci Vicenza?»

«No.»

«Dovresti. Comunque... quella sera non dovevo fare nulla di più che accompagnarlo e mostrarmi affettuosa con lui. E alla fine mi ha sganciato trecento euro.»

«Non male.»

«Non male, no. Per sorridere e mangiare. E farlo sapere alla moglie.»

«E poi la posta è salita.»

«Ma come parli?»

«L'ho sentito una volta in un film. È giusto no, in questo caso?»

«È perfetto: così poi mi hanno proposto cena e dopocena.»

«Ti hanno proposto chi?»

«Un PR. Uno di quelli che lavorano per le discoteche. Facevo la ragazza immagine per lui.»

Rafael sembrava così interessato all'argomento che la conquista sessuale era stata messa paradossalmente in secondo piano. A dirla tutta, le cose facili gli facevano scendere la libido. Troppo abituato a piacere per scaldarsi alla prima occasione. Ci voleva sempre una mossa speciale, o una follia.

Quando glielo chiedevano, lei diceva di fare la *private banker*: il lavoro di chi investe i capitali dei ricchi e non può, per questo, sbottonarsi più di tanto. Aveva un cliente che lo era, e le aveva svelato tutte le cose da dire per rendere la professione credibile.

Poco alla volta, Frida gli raccontò la sua storia.

Gli disse che era cominciato tutto dalla crisi degli studi universitari. Dagli anni persi a ciondolare nell'ambizione di arrivare, anche se non aveva alcuna meta. Voleva semplicemente farcela, proprio come sua sorella, che valeva meno di lei e invece ogni tentativo era un successo. Per eguagliarla, esistevano solo scorciatoie: trovare un marito ricco – la strada più semplice – o fare l'imprenditrice di se stessa, diciamo così.

È sempre difficile, gli disse, avere una visione lucida del perché si sono fatte alcune scelte. Il tempo confonde le carte, le mischia, e magari conviene pure a te pensare che è tutta colpa di tua sorella, dei genitori che non ti hanno capito, dei professori che non ti hanno promosso, degli uomini che non ti hanno sposato.

In quella sera in cui a conquistare voleva essere lei, e ci teneva tantissimo, Frida si rese finalmente conto che il suo lavoro, in fondo, le piaceva. Rispetto alla fatica, le permetteva un tenore di vita che sua sorella col cavolo si sarebbe potuta permettere. L'unico rammarico era non poterglielo spiattellare in faccia, lei e le sue sicurezze di provincia, la villetta col giardino, i figli, la fiera di beneficenza e la casa a Jesolo.

Mentre raccontava, divenne più dolce, tanto che Rafael si rese conto di quanto era stato poco galante.

Gli tornò però il dubbio che magari alla fine avrebbe dovuto lasciarle qualcosa, perché era evidente che stavano andando verso il letto di lei. Per fortuna riuscì a fermare la domanda in tempo, sostituendola con un bacio che lo tranquillizzò.

Le puttane non baciano i clienti, no? Perché è l'unica zattera che gli rimane per sperare ancora nell'amore.

Quando arrivarono al portone, ebbe un piccolo sussulto, come di una scena già vissuta.

«Abiti qui?»
«Sì, dove c'è il balcone fiorito lassù, lo vedi?»
«Ci sono stato ieri sera con Giacomo.»
«Giacomo ti ha portato fino qui?»
«Dice che è molto affezionato a questo quartiere.»
«Forse perché è l'ultimo sestiere abitato ancora dai veneziani.»
«O forse perché ci abiti tu.»

Lei ebbe un istante di smarrimento, come se quel pensiero non le fosse mai passato per la testa. Avrebbe voluto chiedergli di più, ma ebbe il timore che la magia potesse svanire. Sospese le parole fino all'ultimo piano, evitando perfino i convenevoli. Appena la porta si chiuse, fu un groviglio di corpi e di sospiri, di baci e di brividi. Fu tutto lento o velocissimo, come se il ritmo intermedio non fosse concepito – corri, Rafael, corri – o la situazione non lo consentisse. Lei ritrovò finalmente il piacere autentico. Lui andò a mille fino a un istante prima dell'orgasmo.

Subito dopo, si sentì svuotato e colpevole, ma soprattutto triste.

Era a Venezia con una donna bellissima, ma ne desiderava un'altra. Accanto a lui c'era una supplente di lusso che lo guardava commossa, gli accarezzava il viso come quando vuoi far partire una storia, e la prima prova sono quegli attimi fatali dopo il piacere. Ma Rafael l'unica storia che avrebbe voluto far partire era con Regina. Voleva la telenovela con Carmelinda Dos Santos, e la voleva di altre mille puntate. In quel momento si sentiva troppo stanco per mentire, per cui gli venne spontaneo parlarne. "In fondo è solo una *rapariga*" si disse.

Le raccontò delle coincidenze che avevano portato due ragazzi di Rio de Janeiro a trovarsi di nuovo a Milano, in corso Buenos Aires, dopo mesi da quando si erano detti addio senza riuscire a dimenticarsi. Le raccontò soprattutto dell'inizio, perché tutte le storie, nel tempo, si ricordano solo per come cominciano.

Frida lo ascoltava e continuava ad accarezzargli il volto mentre sarebbe solo voluta scappare: "È un cliente che ha problemi con la moglie, trattalo come un cliente che ha problemi con la moglie" si ripeteva mentre gli occhi le si inumidivano di lacrime.

Per fortuna il racconto s'interruppe perché Rafael si addormentò di colpo, in otto secondi, tra le sue braccia.

16

«Dài, tira!»

«Ma se mi vedono i clienti?»

«Che te frega se ti vedono i clienti?»

«Invece me ne frega. Un concierge non si può mettere a giocare con un ospite.»

«Questa non è una partita di calcio, e io non sono un ospite come gli altri. Hai paura di tirare, di' la verità.»

Giacomo non se lo fece ripetere due volte. Era da trent'anni che aspettava di poterlo ancora fare. Prese qualche passo di rincorsa e tirò. Con le Church's ai piedi.

Traversa, spiazzando completamente Rafael. "Hai capito il vecchio?" pensò. Lo aveva trovato che gironzolava nella hall e lo aveva trascinato a fare due palleggi, senza lasciargli il tempo di ribattere.

Recuperò il pallone tutto concentrato, il vecchio, pronto per un nuovo tiro. Si rivedeva nel pieno dei suoi anni, quando aveva fiducia in se stesso e il pallone era l'unica distrazione possibile.

Quella mattina tersa di vento, il suo ciuffo aveva abbandonato ogni pomata e si era lasciato andare, mentre Rafael era tornato il giocatore che cerca gli occhi del rigorista per farlo sbagliare, neanche fosse davanti a Messi.

Per un attimo gli venne da ridere a vedere un uomo in cardigan che gioca a due passi dalla locanda di cui è responsabile. Non poteva nemmeno immaginare l'emozione che quel gesto suscitava in lui.

La serata doveva essere andata bene perché faceva ogni cosa come se non stesse lì, ma da un'altra parte. Però era bravo a tirare, eccome se era bravo. Piedi che lo avevano issato al secondo posto nella classifica cannonieri del torneo di Stresa, una gioia che non aveva mai rivelato a nessuno, nemmeno a Zoff il giorno che era transitato da Parigi.

Tirò di nuovo, senza rincorsa.

Per parare, a Rafael fu necessario un tuffo che gli procurò delle malinconie da ex giocatore. La palla stretta al petto come un figlio da proteggere davanti allo stadio in ansia. Non come quella volta che si era distratto, e il rimbalzo l'aveva beffato. Rafael non voleva pensarci, ma non riusciva a dimenticare, chiedendosi se anche i campioni continuassero a farsi del male rivedendo al *ralenti* certi errori. Se li immaginava dallo psicologo, gente come Baggio, Baresi e Trezeguet, con lo strizzacervelli a domandargli il rapporto che avevano avuto con l'acqua e con la madre.

Si alzò da terra per fargli i complimenti, quando al cancello vide Duccio, il ragazzino del giorno prima. Giacomo ne approfittò per congedarsi – era già appagato – e tornare a un ruolo che non aveva mai trascurato come in quei giorni.

Al suo arrivo, venne accolto da una ola di benvenuto dei suoi ragazzi. Tutti avevano intuito cosa era accaduto la sera prima con Elena, e tutti volevano fargli sapere che avevano capito. Il cardigan nero senza cravatta l'aveva inchiodato. Ma lui ormai era perfettamente rientrato nella parte, o voleva provarci, e cercava di fare come se nulla fosse. Salì al primo piano e trovò la porta del suo miniappartamento completamente spalancata. "I ladri" pensò.

Il codice bancomat.

Il sussulto venne placato appena entrò: la stanza era intatta. Il letto integro, gli abiti appoggiati sulla sedia dove si era cambiato la sera prima, il telefono sul comodino. Guardò la porta e verificò che non chiudeva bene. Si riapriva dopo pochi secondi e il pavimento in pendenza la faceva spalancare completamente. Unica soluzione: serrarla a chiave, cosa che Giacomo non era abituato a fare. Prima di riuscirci, ci mise un po'. Poi si lasciò andare sulla poltrona, sudato ed esausto. Le Church's impolverate sembravano vecchissime ma l'umore era alle stelle.

Distese le gambe e notò che il quaderno era spalancato a metà, con una penna lasciata in mezzo. Qualcuno lo aveva aperto, era evidente.

Giacomo è una brava persona anche se è una persona un po' rigida. In Brasile si dice che chi è rigido ha il cuore pieno di miele, per questo io sono sicuro che lui è una persona molto generosa, anche se ha sempre paura di fare qualcosa di sbagliato, come se per lui il mondo dovesse essere senza errori, ma senza errori il mondo sarebbe noioso come i discorsi dei politici. E poi è proprio perfettino come uno che ha cinquant'anni... basta vedere la sua camera dopo che ha traslocato, che le scatole vuote sono messe come dentro a un negozio ma lui penserà sicuramente che c'è un grande disordine... gli farei vedere la camera dove dormivo a San José così capisce subito cos'è il disordine!!!

Mi fa ridere quando gli viene da ridere e cerca di trattenersi, come se a ridere ci fosse qualcosa di male, ma forse è un problema degli italiani del Nord che hanno paura di ridere forte e allora fanno quelle facce serie che sembra che gli hanno sequestrato la moglie. Una volta sono stato a Napoli e sentivo che la gente rideva da tutte le parti. Lì sì che sanno come si ride!

Anche se non lo conosco gli voglio già bene... magari avessi trovato uno come lui quando sono arrivato a Milano!!! Giacomo mi ricorda il mio primo allenatore Armando, la persona migliore che abbia mai incontrato dopo mia nonna... un maestro di vita più che un allenatore di football. Mi ha insegnato tutto e mi ha preannunciato quello che avrei visto in futuro, come le invidie della gente, ma fin dall'inizio mi ha detto che ero speciale, che anche se la mia vita non fosse stata nel calcio io ce l'avrei fatta lo stesso, e forse ce l'ho fatta a combinare qualcosa in Italia.

Giacomo, per me dirti che tu sei come Armando è come dirti che sei unico pure tu, anche se oggi che sei innamorato non capisci più niente.

Era disorientato, mentre leggeva, arrabbiato e commosso al tempo stesso. Violato nell'intimo eppure toccato nel vivo della sua sensibilità più nascosta, lui che pensava di essere irraggiungibile a tutti. Invece uno sconosciuto l'aveva capito e ritratto con la ferocia dell'innocenza, e sicuramente aveva anche letto le altre pagine del diario. Ricercò parole che avrebbero potuto metterlo nei guai, e trovò la foto di lui e Salvo sul campo di calcio.

Rafael doveva aver scritto quelle parole all'alba, appena rientrato dalla sua serata con Frida. Erano suoi i passi che Giacomo aveva sentito rimbombare sulle scale. Era suo il *toc toc* a quella porta che non si era aperta, perché era già aperta, lasciata socchiusa quando era dovuto correre a cercare i preservativi, in accappatoio. Un azzardo, certo, ma sempre meglio che presentarsi in camera di Elena già munito di precauzioni come un giullare del sesso.

In preda al panico, prese a spazzolare le Church's, rovesciando uno scatolone per trovare il prodotto adatto. Mentre lucidava con foga, si chiedeva come gli fosse venuto in mente di confidare a un quaderno i suoi pensieri. Ci sono segreti che non devono uscire neppure da noi stessi, si rimproverava, anche se raccontano un passato che non ci appartiene più. "Lo sapevo che non mi dovevo fidare di lui" ripeté tre volte a mezza voce. Dopo un attimo di titubanza, decise di mettere da parte il suo *aplomb* e di affrontare la situazione. Si rimise le scarpe, e tornò a cercare Rafael sul piede di guerra.

Lo trovò in giardino abbandonato sulla sedia, grondante di sudore. Quando lo vide con il quaderno in mano e la faccia seria, alzò le braccia al cielo. Il sorriso largo, disarmante, le parole a precedere domande mai poste.

«L'ho letto, è vero, ma non tutto...»

«Non ti saresti dovuto permettere.»

«Dài, piantala... invece dimmi com'è andata la tua serata. Ho sentito che ti stavi divertendo nella camera della signora bionda, e la tua stanza era spalancata.»

«Così hai pensato di entrare.»

«Non avevo più sonno e volevo farti una sorpresa... e il tuo quaderno era proprio lì.»

Giacomo era nel pallone. "Magari ha letto altre pagine e non *quelle*" sperava, "si vede lontano un miglio che si stufa dopo tre righe."

"Sono passati trent'anni" si diceva per rassicurarsi, mentre Rafael continuava a ripetergli il nome di Elena, alternandolo a "pere", a "cosce", facendo gesti eloquenti che lo mettevano in profondo imbarazzo. Temere che qualcuno avesse potuto sentirlo durante la notte lo mandava fuori di testa quasi quanto le pagine violate, ma non aveva il coraggio di affrontare l'argomento.

«Non saresti mai dovuto entrare in camera mia.»

«Guarda che ho scritto una cosa divertente su di te.»

«L'ho vista. Ma non avresti mai dovuto leggere una cosa non tua.»

«Tu volevi che io lo leggessi... altrimenti non me ne avresti parlato.»

In fondo era vero, anche se non lo avrebbe mai ammesso.

«Questo lo stai dicendo tu.»

«Giacomo, non possiamo stare a discutere ancora di questo... ti vuoi invece decidere a raccontarmi com'è andata la serata con la biondina?»

La serata con "la biondina". Era davvero troppo.

«Scusami, ma io non sono abituato a parlare così,

non è nel mio carattere. E poi non hai nessun diritto di spiare l'intimo delle persone e spiattellarglielo in faccia come se fosse divertente.»

«E tu, allora, cosa fai? Guardi tutti dal buco della serratura e non hai neanche le palle di dirgli quello che pensi di loro.»

Rafael si rese conto di aver superato il limite, anche nei toni. Il ragazzo che si lega alle persone troppo in fretta, dimenticando che, come diceva nonna Esperança, "gli amici sono come le piante: hanno bisogno di tempo e di cure". Altrimenti l'amicizia non cresce.

Non poteva certo immaginare cosa significasse Elena per Giacomo, e soprattutto per quale ragione lui e Salvo avessero litigato, perché ovviamente qualcosa aveva letto. Gli tornarono in mente due compagni del Mirasol, che un giorno si erano presi a mazzate perché uno aveva provato a baciare la ragazza dell'altro. Il traditore era stato talmente insultato dai compagni, che aveva chiesto di essere esonerato dalla squadra. Avrebbe poi passato la carriera in categorie minori, guardato con diffidenza da tutti, tifosi inclusi, che sugli striscioni lo chiamavano BOCCA DI CESSO.

Rafael aveva voluto strafare, scrivendo quella pagina, ma era il rischio da mettere in conto quando si corre troppo per l'entusiasmo. Al primo ostacolo ci si fa male. E per quanto tu riprenda subito a correre, con gli anni inizi a sentire la fatica.

«Scusami» riuscì solo a dire abbassando lo sguardo, e tornò in camera per riordinare le sue cose.

Regina non aveva più chiamato.

Frida non l'aveva lasciato dormire.

Giacomo non l'aveva capito.

La realtà si stava sì trasformando in una telenovela, ma durante una delle puntate peggiori. Era il momento di spegnere la tv e tornare a Milano.

17

Elena era troppo felice per condividere la propria gioia con qualcuno.

Una di quelle volte in cui soltanto tu ti puoi capire, perché non c'è migliore amico che tenga, in certi casi. Vorresti far straripare le emozioni, sprecarle, regalarle per strada distribuendo mance nei bar e ai madonnari. "Non si bada a spese" ripeteva tra sé, "nella buona e nella cattiva sorte."

L'unico momento un po' strano, di quella notte, era stato quando aveva cominciato a spogliarlo. Prima le scarpe. Poi il cardigan. Poi la camicia. Giacomo era talmente concentrato a trattenere la pancia che si era dimenticato del codice bancomat tatuato sull'avambraccio. «E questo?» aveva chiesto. E lui, nel panico più totale: «Stasera niente domande» le aveva detto, con una sicurezza che aveva mandato la *madamina* in tilt.

Per il resto, le aspettative non erano state deluse. Durante le carezze dopo il piacere, lei aveva provato ad accennare del patatrac con il marito, ma Giacomo era riuscito a evitare ogni commento. La sua felicità chiedeva solo silenzio: anni trascorsi con i viaggiatori lo avevano convinto che i momenti più belli vanno custoditi dentro bolle di vetro senza parole. Solo così conservano l'incanto, senza essere scalfiti dalle fragilità umane. E poche volte si era sentito fragile come quella notte. Aveva infranto ogni codice professionale – niente sesso in albergo, e soprattutto niente sesso con i clienti – e ci era andato giù pesante anche con la sua etica personale. Una donna sposata. Una donna con due figlie. Una donna desiderata con insistenza, ma mai corteggiata in modo esplicito, anche se certi messaggi arrivano a destinazione pure se il testo è sbagliato. Però quella volta era valsa tutti gli anni di attese, e fu la prova che Giacomo aveva capito giusto fin dall'inizio. Fu soprattutto la prova che ci poteva essere ancora qualcuno nella sua vita.

A questo pensava, mentre accoglieva i clienti quella mattina.

Elena invece non riusciva a pensare a niente. Stava da un paio d'ore seduta in un dehors. Fissava la laguna per una volta limpida, l'orizzonte sicuro, le isole, le ciminiere di Marghera talmente assolate da sembrare parte del paesaggio. Guardava il mare immobile, euforica di sentire il suo corpo appagato, di toccare due tette che sembravano cadenti "e invece guarda come stanno su, oggi".

Non volle Giacomo con sé, sarebbe stato troppo, e comunque era e sarebbe rimasto un segreto. Una gioia sottovuoto, da confessare a un'amica soltanto – o al suo commesso – ma solo se l'altro avesse raccontato qualcosa di simile. Troppo vittima delle apparenze per dichiararsi colpevole, anche se di sicuro si sarebbe dovuta confessare, prima o poi. Ma com'era contenta, quella mattina, lei torinese doc che di colpo attacca bottone con il cameriere: «Che bella giornata, non sembra neanche novembre, proprio bella Venezia, neh?».

Andò a Murano in taxi perché aveva voglia di conversare con qualcuno, e chi meglio di un tassista? Se fosse stato meno distante si sarebbe avventurata addirittura in gondola, perché la conquista le aveva dato una malata euforia. Il classico atteggiamento di chi fa una vita regolare e come ha un momento di libertà sbrocca. Il tassista ancora un po' la buttava in mare, perché appena le aveva detto che era dell'Ariete lei aveva cominciato a tratteggiargli il suo carattere ostinato, e a dire che dal punto di vista astrale era un sempliciotto.

Mentre il vento le scuoteva la faccia, cercava di non pensare a niente e di godersi il momento – la felicità è una brezza sul viso –, ma le vennero in mente le sue pupe che chissà come stavano. Aveva però imparato che le brutte notizie corrono veloci, quindi se ci fosse stato qualche problema l'ingegnere avrebbe saputo come avvertirla, anche perché il telefonino era stato acceso tutto il tempo, compresa la notte di fuoco.

Arrivò sull'isola con le migliori intenzioni: trovare chincaglierie chic da proporre in negozio. Conosceva una bottega specializzata già contattata in passato e con cui aveva un rapporto cordiale, culminato in un biglietto con gli auguri di Natale.

Anche se non se lo era ufficializzato, Elena aveva già deciso che sarebbe tornata a Torino. Non si sarebbe potuta permettere un colpo di testa per un portiere d'albergo. Un marinaio, piuttosto, che però la facesse sparire per sempre, in modo da non poter neanche immaginare i pettegolezzi dal suo parrucchiere o per il budello di Alassio.

L'isola dei vetri era più grande di come la ricordava, ma bastò uscire dal flusso di turisti per trovare l'atmosfera desiderata. Si perdette un paio di volte prima di scovare quella bottega ancora piena di polvere, oggetti lontani dallo scintillio delle boutique, ma pieni di storia: bicchieri anni Trenta, lampade liberty, piatti antichi. Si presentò con un biglietto da visita e cominciò a guardarsi intorno, accarezzando le cose, come se il tatto le mandasse un primo messaggio. Acquistò a man bassa e riuscì a strappare pure una consegna a carico del negozio. Aveva l'energia magica degli innamorati, quando gira tutto per il verso giusto.

Il tempo di gongolare un attimo, giusto qualche

passo, e il telefono vibrò. L'ingegnere. Rispondere o non rispondere? Fare finta di non aver sentito e poi richiamare non appena pronta? E se le pupe non fossero state bene? Rispose.

Almeno tre volte Elena ripetè: "*Tut bin*"; un paio di volte disse: "Te l'ho detto che torno"; una volta disse: "Locanda dell'Abadessa"; e un'altra volta, ma gridando, disse: "COSA VUOL DIRE CHE STAI VENENDO A VENEZIA?".

Alla faccia degli ingegneri secchioni e senza fantasia. Alla faccia di chi sembra un'acqua cheta scontata. Pur mostrandosi imperturbabile, l'ingegnere si era reso conto di aver fatto una cazzata – maledette precauzioni – e dietro il silenzio aveva meditato un piano di riconquista raffazzonato ma sincero. Era stato il suo compagno di golf, a dir la verità, a suggerirgli la carta romantica: "Stupiscila sotto l'albergo, non avrà la forza di protestare". E così in effetti fu, anche perché lui l'aveva chiamata dall'autostrada quando si trovava già nei pressi di Padova, a pochi chilometri da Sant'Antonio. Nel panico, Elena riuscì solo a chiedere delle pupe, ma lui tirò fuori sua madre e la questione finì lì. Del resto della conversazione, ricordò solo che concluse dicendo: "*Ciau*, a dopo".

Spiazzante. Così una mente lucida avrebbe definito il comportamento dell'ingegnere, ma Elena non era lucida per niente. Da presunta vittima, si sentì colpevole e sporca. Sì, perché lui l'aveva tradita, in teoria, solo sulla carta. Lei invece ci aveva dato di brutto, con dolcezza e cattiveria represse da troppo tempo. Si pentì e la gioia si dissolse, quasi assorbita dal sole. "E adesso? Cosa dirò a Giacomo? Cosa dirò a mio marito?"

Cominciò a specchiarsi nelle vetrine dei negozi che incontrava, cercando segni sul volto – sul corpo – della notte appena trascorsa. Nel contorsionismo della passione si era dimenticata molti passaggi, ed è proprio in quei momenti che si lasciano indizi che portano solo imbarazzo. Non sembrava però che ci fossero tracce strane sul collo: "Uh Signur, grazie".

Chiamò il suo negozio – voleva la voce del commesso – ma la paura le fece solo raccontare nei dettagli i nuovi acquisti: «Vedrai che abat-jour».

Erano le quattro e mezzo. Avrebbe fatto in tempo a tornare alla locanda, bofonchiare qualche parola a Giacomo, e pensare a una strategia di reazione perché, fino a prova contraria, il responsabile del casino era l'ingegnere: «È colpa sua» ripeteva ad alta voce come una bambina.

Per la fretta di tornare, convinse una coppia di russi a dividere il moto-taxi fino alle Fondamente. Doveva avere una faccia talmente sconvolta che il presunto magnate non volle neppure un euro.

Arrivata su quella terra malferma, si avviò alla locanda facendo la stessa strada del mattino ma con uno stato d'animo lontano anni luce. Pensò di fermarsi alla chiesa dei Gesuiti per accendere un cero alla Madonna, perché di confessarsi proprio non aveva coraggio. Di fronte all'ingresso a pagamento ebbe una reazione di stizza: «A me non interessa di Palma il Giovane, io voglio accendere un cero alla Madonna e lo voglio accendere qui!!!». Non ci fu verso di convincere l'addetta all'entrata, che la guardò con disprezzo, i soliti italiani che hanno la coscienza sporca e non vogliono sostenere l'arte.

Per la prima volta in vita sua, paradossalmente, Elena aveva badato a spese.

Durante il tragitto, ripensò frasi con cui affrontare il marito: "Ricordi cosa ci siamo promessi ad Alassio?", "Che esempio sei per le tue figlie?", "Sei stato anche con la baby-sitter francese?".

Si rese conto che non le conveniva più di tanto alzare il tono dello scontro, e poi lui era stato comunque carino a venire. Lei che lo conosceva bene sapeva quanto doveva essere stato duro per il marito allertare le tate, avvisare sua madre, salutare le pupe e mettersi in autostrada di venerdì: un incubo. Ma era sicura di conoscerlo bene?

Quando arrivò in Campo Santi Apostoli provò a entrare in un'altra chiesa – ingresso libero – ma era quella evangelica e stavano provando un concerto gospel. Le chiesero se le andava di fermarsi e battere il ritmo di *Go, Tell It on a Mountain*, ma lei uscì senza rispondere. Non era proprio giornata.

Guardò di nuovo l'ora e sospirò: aveva ancora il tempo per una doccia e una preghiera alla Madonna, perché sicuramente lei l'avrebbe capita. Ce l'avrebbe fatta a gestire tutto e poi avrebbe pensato a cosa inventarsi per sparire di nuovo.

Quando rivide l'ingresso dell'Abadessa si sentì di nuovo al sicuro. Sperava che Giacomo non fosse alla reception. Voleva incanalare subito le emozioni sulle vie della ragione, che per una madre è sempre l'unica percorribile.

Invece lui stava seduto lì, bello e irriconoscibile. Il cardigan aveva lasciato posto a un gessato grigio con cravatta viola di flanella, le Church's ancora lucide per l'incazzatura mattutina. La guardò con occhi dolci ma fermi, occhi di chi sta recitando una parte che gli spezza le gambe.

«C'è suo marito che la sta aspettando per un aperitivo, *madame*.»

18

Rafael sperava che quella sera non ci fosse.

Aveva invocato anche il Cristo del Pan di Zucchero, supplicando che non arrivasse, ma rimase deluso un'altra volta. Infatti eccolo, il Walter, giungere puntuale al Tonga Bar di Trezzano. Completo nero, T-shirt nera, il solito incrocio tra Al Bano e una bodyguard. Il pianista di pianobar meno compreso al mondo. Per portare a casa cento euro, preparava ogni serata come se fosse il concerto di un tour, con una scaletta così varia che neanche Bruce Springsteen. Andava a scovare le canzoni più sconosciute degli artisti che amava, perché diceva che a cantare *Vita spericolata* sono bravi tutti. Non perdeva però occasione di ricordarlo a Rafael, che doveva sorbirsi le sue lagne sul compenso mentre lo intralciava al bancone. In realtà, non lo sopportava perché beveva cocktail di frutta analcolici, e lui quelli che ordinavano cocktail di frutta non li reggeva proprio. Prendetevi una Coca liscia, piuttosto. Una Red Bull, se volete darvi un tono. Non puoi avere l'ambizione del cocktail e rovinare tutto con la frutta senz'alcol, per forza che poi non hai successo.

Quella sera cominciò con *Anche se non mi vuoi* di Laura Pausini, che ci aveva messo tre giorni solo per trovare gli accordi. Quando il Walter partì con la sua voce in vena di malinconie, Rafael si rese conto che non tollerava nemmeno il vibrato, ma quella sera probabilmente non gli andava bene niente. Era partito per un sogno pieno di aspettative – l'amore a Venezia – ed era tornato con un senso di sconfitta su tutti i fronti: Regina era sparita, Frida era delusa, e Giacomo non lo aveva perdonato.

L'aveva lasciato partire senza fargli pagare nulla ma senza aggiungere nemmeno una parola. Era tornato il concierge in versione maggiordomo: gentile, affettato, l'uomo di ghiaccio che sorride sempre ma non riderebbe mai. Per cercare di fare pace, gli aveva chiesto di salutargli la signora Silvana, e di scusarsi con lei, e l'altro aveva preso un appunto come se fosse un cliente qualsiasi.

Per tutto il viaggio di ritorno non era riuscito a dimenticare quel gesto, tra rabbia e tristezza. Sentire *Ragazzo fortunato* nella versione del Walter non era sicuramente il massimo per tirarsi su, soprattutto in quel locale di venerdì sera: ragazzi arresi alla routine nell'attesa che succeda qualcosa, mentre ordinano creme di whisky, limoncelli, qualche tequila. Le ragazze invece andavano di Sprite e Coca light, sperando che Rafael le guardasse.

Quella notte di Capodanno, quando se lo era visto arrivare mezzo congelato, il titolare del bar lo aveva preso subito sotto la sua protezione. Uno che cerca lavoro in bici a Capodanno ha sicuramente una marcia in più, e chissenefrega se non parla bene l'italiano. Con quegli occhi lì, nessuno avrà il coraggio di reclamare. Così lo aveva messo in regola con i libretti e gli aveva anche allungato qualche fuori busta in nero. Sapeva che la sua presenza era fondamentale per il successo del locale, e a Trezzano ormai il Tonga era diventato "il bar del barista figo e del pianobarista sfigato".

Rafael non riusciva però a togliersi dalla testa Venezia, mentre gli occhi gli bruciavano di stanchezza. Malgrado il finale disastroso, non era andata così male.

Ci bevve sopra una cachaça, e sentì l'alcol scaldargli il cuore. Era stato trattato come un ospite di riguardo, e soprattutto aveva di nuovo stretto un pallone tra le braccia. Non gli succedeva da mesi.

«C'è una ragazza che vorrebbe una *batida de banana* e chiede se la sai fare.»

Il cameriere vide Rafael cambiare espressione, in un misto di gioia e terrore. Il brasiliano si sporse dal banco e la vide, quella luna scesa in un seminterrato lombardo. Regina era lì, sorridente e sola. Si alzò dal tavolino e si avvicinò al bancone tra lo stupore generale, i capelli mossi dall'andatura sinuosa. Eccola, Carmelinda Dos Santos in tutto il suo splendore. Gli succedeva ogni volta che la rivedeva: per i primi minuti non era mai Regina, ma il personaggio di *Páginas da Vida* che lo aveva incollato al televisore insieme alle sue sorelle.

Rafael era più impacciato che mai, come se fosse nudo, col pisello ristretto, davanti al Maracanã. Quando si erano ritrovati a Milano le aveva millantato che era barman di un certo tipo, responsabile di un locale un po' fuori frequentato da bella gente. Non era solito mentire, ma Regina gli piaceva così tanto da renderlo insicuro e vulnerabile. Le mani cominciarono a tremargli nervose, la lingua senza più saliva. Nella testa, solo la voce di nonna Esperança.

«Che sorpresa... cosa ci fai qui?»

«Non sei contento di vedermi?»

«Certo che sono contento, ma mi chiedo come hai fatto a scoprire che ero qui. Stasera mi hanno chiamato per una sostituzione.»

Lo guardò con sospetto ma le fece tenerezza, quel ragazzo sul punto di balbettare. Se non avesse avuto paura, non sarebbe stato amore.

«Ti ho chiamato, mi ha risposto la tua collega Tamara, mi ha detto che stavi lavorando e mi ha dato l'indirizzo. Ma perché il tuo telefono lo tiene lei?»

«Perché qui giù non prende. Allora lo lascio su in

cassa e ogni tanto controllo se ci sono chiamate. Poi in tasca mi dà fastidio.»

Il siparietto, agli occhi di una casalinga disperata, assomigliava davvero a una telenovela, quando la puntata sta per finire e sai già che ti lascerà proprio sul più bello. Regina lo scrutò con attenzione, puntando i suoi fari su quei pantaloni neri con le pince, la camicia bianca, il farfallino. Non era proprio un granché, ma lui poteva permettersi tutto. Il Walter cantava a occhi chiusi una canzone di Tiziano Ferro, sbirciando ogni tanto le parole sul monitor. Si perdeva sempre al momento di "nessuno è solo finché di notte anche lontano ha chi non dorme". Ogni volta, sbagliava testo e tonalità.

Lui avrebbe voluto spegnerlo e sostituirlo con un cd di Arnaldo Antunes, e Regina sembrava avergli letto nel pensiero.

«Che c'è, *meu amor*?»

«Niente... è solo che...»

«È solo che?»

«Solo che non pensavo che lavorassi in un posto così strano.»

Strano? Le faceva schifo, avrebbe voluto dire. Lei ormai frequentava solo papponi che prenotano i tavoli e chiedono agli ospiti i soldi per la mancia, perché non li hanno mai. "Ma vedrai che ce la faccio a mollare questa topaia" gridava dentro di sé Rafael, terrorizzato. La sua preda era tornata, e gli stava dando un'altra possibilità: lui avrebbe voluto chiederle se la campagna era veramente saltata, o se era tutta una scusa perché aveva trovato di meglio da fare. "Ricordati però che è un'attrice" si diceva, ti può dire quello che vuole e ti costringerà a crederle. Ma se stasera è venuta fino qui, come minimo vuole essere scopata.

«E questa la dedichiamo alla moretta che sta facendo impazzire il nostro barista.»

Rafael guardò Regina sempre più imbarazzata mentre il Walter prese a intonare *Ragazze dell'Est*. Ma che c'entrava quella canzone? Per un attimo, si misero a ridere. Erano di nuovo complici, una cosa sola che non ha bisogno di spiegazioni, perché tutto va da sé. Lei non sembrava più sul punto di andarsene e a lui smisero di tremare le mani. Ancora una batida. Ancora una canzone. Ancora una batida. Per darsi la forza che ancora non aveva, Rafael continuò a trangugiare alcolici, e ne aggiunse una punta anche nei cocktail di frutta che serviva ai clienti, tanto si sentiva invincibile. Invece non era mai stato così fragile. Nemmeno quando si faceva toccare dal signor Moreiro.

L'avrebbe massacrata di parole e insulti, se fosse stata qualsiasi altra ragazza, piantandole un muso lungo così. L'aveva fatto andare a Venezia e non si era presentata, arrancando nelle scuse per poi sparire. Però era lei, la star, e innamorarsi di una star significa stare sempre in secondo piano. Ed era così bella, quella sera: la spiaggia di Ipanema in una notte stellata – non gli venivano altri paragoni – e andava perdonata solo per questo senza riaprire la questione. Quando ci provò, perché un cuore ce l'aveva anche lei, lui le disse che non c'era bisogno di scusarsi, che sicuramente aveva avuto le sue ragioni per farlo. E non puoi trascurare la carriera per uno come me. E grazie di essere venuta a trovarmi. E che stronzi questi di Venezia che non vogliono gli extracomunitari.

Faceva tenerezza, povero Rafael. Incapace di improvvisare una strategia né uno straccio di reazione.

«Ti ricordi cosa mi avevi detto la prima volta a Rio?»

«Al bar la seconda sera?»

«Al bar.»

«Certo che mi ricordo... ti ho detto: "Se mi aspetti alla chiusura ti accompagno in scooter a vedere le stelle".»

«Poi però ci siamo fermati prima.»

«È stato meglio così, no?»

Stettero un po' a ricordare un passato fatto di piccoli episodi e grandi sogni, che ormai sembravano irrealizzabili.

Dopo qualche titubanza – ma l'alcol l'aiutò a sciogliere le riserve – Regina decise di aspettarlo fino alla chiusura. Non era poi così male, vestito da pinguino. Le braccia sembravano toniche. La bocca sembrava la stessa. Così si sorbì una serie interminabile di canzoni che per lei erano tutte uguali, anche se si ritrovò a battere il tempo quando il Walter intonò *L'uragano Meri* di Eros Ramazzotti. Le ricordava una canzone popolare di Recife, la città di suo padre.

Mentre tornavano a casa di Rafael – la puntata continua – lui stette quasi tutto il tempo in silenzio, la mano fissa sul ginocchio di lei. Cercava di memorizzare lo stato del disordine e i piatti, li aveva lavati i piatti? Nel frattempo mandava messaggi a Zazinho, il suo coinquilino, perché non rientrasse a casa prima delle quattro. Mutande in giro non ce ne dovevano essere, né tanto meno asciugamani. Parcheggiò incrociando le dita e dimenticando di mettere il bloster, ma ebbe subito un ripensamento. Non poteva portare Regina in una casa così modesta. La protagonista della tua vita merita una reggia o uno spettacolo.

«Che ne dici se ti portassi a vedere di nuovo le stelle?»

«Ma c'è la nebbia...»

«Non ti preoccupare, le vedremo lo stesso.»

S'imboscarono così in una via chiusa nella zona industriale. Al posto delle stelle, il latrato dei cani. A Rafael bastò slacciare quello stupido papillon per trasformarsi in una bomba. Esplose senza titubanze, improvvisamente sicuro dei suoi mezzi, e anche Regina si divertì, tra il cambio e il volante. Si sentiva libera e completamente padrona del suo toy boy pronto a fare ancora ciò che lei desiderava. Dopo il secondo orgasmo, però, il giocò finì.

Rafael cercava solo la dolcezza. Regina desiderava

solo una via di fuga. I ruoli uomo-donna sembravano, per una volta, ribaltati.

Provò ad accarezzarle il volto – la faccia trattenuta nelle mani – perché voleva che tutto ricominciasse, ma lei chiuse gli occhi per evitare il suo sguardo.

Si era resa finalmente conto di essere in una Panda in mezzo ai capannoni.

Non voleva una storia con un connazionale che serve cocktail in uno scantinato. Di Trezzano, per di più. E non poteva stare con un fan dopo che era fuggita da loro. Alla prima occasione, l'avrebbe esibita in patria come un trofeo davanti ad amici, parenti e televisioni: "Carmelinda Dos Santos è qui!".

Appena riuscirono a rivestirsi, Regina si fece lasciare a una stazione di taxi per tornare in città.

19

L'ingegnere (non riesco a chiamarlo per nome) credo che un po' mi assomigli.

È la classica persona che non riesce a esprimersi completamente, anche se sa cosa vuole. Quando è entrato ieri sembrava spaesato, si guardava continuamente alle spalle e ha parlato tutto il tempo tenendo il borsone in mano, come se avesse paura di sporcare o non volesse disturbare. Mentre verificavo se Elena era in camera (ma io lo sapevo che non era rientrata), l'ho visto che sistemava i biglietti da visita della locanda, voleva che la pila fosse precisa. Aveva dei mocassini impeccabilmente lustri.

Se fosse stato un colloquio di lavoro l'avrei assunto subito, perché lui col cavolo che si dimentica di consegnare la ricevuta al cliente come è capitato in passato a uno dei ragazzi. Ma la cosa che più mi ha impressionato erano i suoi capelli. Aveva la riga netta da un lato, dritta come quell'attrice che un tempo stava con Brad Pitt. Sembrava una bambola triste messa in mezzo a un letto.

L'ho quasi odiato quando ha appoggiato i cinque euro sul banco, anche se ovviamente non ho battuto ciglio. Come ti permetti di umiliarmi con cinque euro? Al Ritz dicevamo sempre: "La mancia piccola è figlia di un uomo mediocre". Tutto o niente, *mesdames et messieurs*. L'ho presa perché di questi tempi non si rifiuta nulla, e poi ai miei ragazzi cinque euro fanno sempre comodo. Però forse ho capito come mai Elena è scappata da lui. Anche se temo che la fuga, purtroppo, sia finita.

Era così nervoso che non sapeva cosa fare, Giacomo. Aveva provato a rilassarsi scrivendo del suo rivale che riposava – riposava? – a poche stanze dalla sua come se fosse un cliente qualsiasi: ma lui non era un cliente qualsiasi. Era arrivato il giorno prima a rompere le palle e l'incantesimo, senza il minimo sospetto che la sorpresa potesse essere sgradita. E l'ingegnere, nel suo goffo tentativo di verifica – la telefonata in autostrada –, non era nemmeno riuscito a cogliere l'imbarazzo nella voce di Elena quasi sul punto di dire: "Cielo, mio marito". Si era concentrato soltanto sulle sue intenzioni, "che bravo che sono a venire qui", "in fondo è stato un incidente di percorso", "le regalerò un brillante", "tanto non si bada a spese". Pagare per far dimenticare, perché gli ostacoli non vanno superati, ma rimossi.

Giacomo rileggeva le sue parole – la scrittura come salvezza – e s'innervosiva con se stesso, perché in fondo sapeva che non avrebbe potuto combattere con una storia che durava da troppi anni, con due figlie di mezzo, ma in cuor suo sperava che qualcosa potesse ancora succedere, l'amore è un vento che cambia continuamente traiettoria, come le correnti del mare.

Ma lui cosa avrebbe potuto offrirle, oltre l'amore? Perché tanto prima o poi si sarebbe affievolito, ormai l'aveva capito. Forse sarebbe rimasta la capacità di invecchiare insieme, la passione per la scrittura, la cucina thai, le passeggiate, Parigi e i gatti.

Elucubrazioni mentali inutili e dannose, ma inevitabili. La signora Silvana la chiamava "la croce dell'amante clandestino": vedere l'atollo a due passi da te, con le palme, la spiaggia, la vegetazione lussureggiante. Ma tu non puoi raggiungerlo quando vuoi, anche se sai nuotare. Devi stare nascosto nella barca, attento che nessuno ti veda, in attesa di un cenno di via libera. E nel poco tempo che ti viene concesso devi dare il meglio, essere festoso, fare regali e complimenti, e lasciare da parte i bronci. Solo così puoi giocarti una chance, ma le possibilità sono poche. E anche se sai che non durerà, non riesci a fare a meno di guardare la tua isola felice e continuare a illuderti di poterla avere, un giorno, tutta per te. Per la signora Silvana, l'unica soluzione era lasciare da parte gli atolli e buttarsi sulla spiaggia del Lido.

Giacomo era sul punto di strappare la pagina dal quaderno, quando il telefono suonò: «C'è qui la signora Frida che vorrebbe salutarla». Rimase un attimo perplesso, controllò il nodo della cravatta e scese di sotto. Gli venne la tentazione di avvicinarsi alla camera di quel tirchio dell'ingegnere, ma ebbe paura di sentire effusioni sgradite – i mugolii di Elena non ce la poteva fare – per cui scese velocemente per evitare ogni strascico sonoro.

Frida, per la prima volta, sembrava una ragazza normale. Il trucco leggero, un impermeabile nero stretto in vita da una fibbia, stivali. Una dark lady poco appariscente, anche se gli occhiali anni Sessanta non la facevano passare inosservata.

«Sei sola?»

«Sì, passavo di qui e ho pensato di farti un ciao. Come stai?»

Lui sarebbe voluto morire. Sapere che Elena era ancora in camera con suo marito lo aveva mandato fuori di testa.

«Benissimo. E tu, Frida?»

Lei sarebbe voluta morire. Sapere che Rafael se n'era andato senza lasciarle neanche un biglietto l'aveva mandata fuori di testa.

«Benissimo anch'io!»

«Un prosecchino?»

«Volentieri.»

Il cielo era più indeciso dei giorni precedenti e stava tornando al grigio standard di certi autunni. Il portone sul canale era spalancato, ma entrava pochissima luce. Giacomo fece cenno a uno dei ragazzi di portare una bottiglia e qualche cicchetto.

«Volevo ringraziarti per l'altro giorno. La stanza era stupenda e il cliente mi ha lasciato una mancia extra per la bellezza del posto. Ho fatto anche bella figura.»

«Rafael è già partito.»

«Cosa c'entra Rafael?»

«Frida, ci conosciamo da anni e non sei mai passata a salutarmi. È evidente che vuoi sapere qualcosa, e quel qualcosa non abita più qui. Immagino che tu ti sia concessa anche gratuitamente.»

L'aveva colpita con una cattiveria che non conosceva. Ma lei non si muoveva da lì, senza paura né orgoglio.

«Tu mi devi aiutare a trovarlo.»

«E perché dovrei?»

«Perché sei una persona onesta. E perché mi vuoi bene.»

«Allora perché mi fai pagare quando vengo da te?»

Fu l'arrivo della signora Silvana a salvare la situazione. Ma solo per un attimo.

«Ma riecco la bella ragazza dell'altra sera... sta aspettando il brasiliano, vero? *Che bel fio che xe el brasilian.* Di ragazzi così proprio non se ne vedono più, in Italia.»

«???»

«... tienitelo stretto, *che xe anca bon come el pan.*»

«Silvana, Rafael è dovuto rientrare a Milano per lavoro. Mi ha detto di salutarti.»

La signora col cappello la guardò e avrebbe tanto voluto dirle: "Condoglianze". Frida provò a sorridere ma per una volta era senza difese, ostaggio di un desiderio fuori controllo che la rendeva quasi ridicola. Lei, sempre in grado di mantenere la calma, si ritrovava a elemosinare informazioni. Pur ferita, non riusciva nemmeno ad arrabbiarsi con Giacomo: "Me lo merito" pensava, "credevi di avere il mondo ai tuoi piedi e adesso ti ritrovi a inseguire un'avventura senza sapere da dove partire".

Giacomo la guardò e si rese conto che quelle parole non avrebbe dovuto pronunciarle, soprattutto nei confronti di una persona in una situazione simile alla sua. In quel momento avrebbe voluto chiudere lì la questione, anche perché Rafael gli faceva paura. Aveva letto il diario curiosando nelle pagine nascoste dei suoi anni, e magari era pronto a ricattarlo, ormai se lo aspettava da un momento all'altro.

«Frida, vedrò come posso aiutarti, anche se non ti assicuro niente.»

«Sapevo che eri speciale.»

La signora Silvana li guardò pensando che non ci stava capendo nulla. Addentò il suo tramezzino e si versò un prosecco che non era mai previsto a quell'ora. Ma aveva la sensazione che la sua vita potesse finire da un momento all'altro, e allora meglio farsi trovare all'appuntamento con il fegato spappolato.

«Signorina, mi scusi se mi permetto... ma vorrei farle una domanda.»

«Mi dica.»

«Le hanno mai detto che lei assomiglia a Gesù?»

Una risata sciolse quel momento di tensione collettiva. Frida ritrovò il buonumore e le diede un bacio. Poi si schiacciò i capelli, si tirò su le sopracciglia e mostrò il volto triste e sofferente dell'iconografia classica. Le mancava Giuda di fianco che inzuppava il pane, ed era perfetta per l'*Ultima cena*.

Il quadro vivente s'irrigidì con il suono di alcuni passi. I coniugi Barsanti comparvero come se dovessero partecipare alla prima comunione di una delle figlie. Elena indossava i colori di una cartolina dimenticata in tabaccheria, l'espressione viziata dal trucco eccessivo. L'ingegnere sembrava uscito da un catalogo Postalmarket. I volti accennarono un sorriso, chiedendo indicazioni per un ristorantino tipico. Usarono proprio quest'espressione: "ristorantino". Giacomo un po' si risentì, ma evitò ogni commento indirizzandoli verso Lauretta.

Li osservò uscire, vicini e distanti, senza parlare.

Dopo una sera passata in camera a discutere e a chiarire, Elena aveva deciso di arrendersi all'eccitazione del marito soprattutto per via di un nuovo brillante e dei sensi di colpa. L'aveva tradito in quella stessa stanza, con voluttà. Ma era successo e doveva essere dimenticato al più presto.

Rassicurata nella sua decisione – il Signore mi perdonerà – si era affidata a una notte d'amore deludente e convenzionale, ma necessaria. Tutto sarebbe tornato alla normalità e a Torino nessuno avrebbe saputo. Per lei era questa la priorità assoluta. Una certezza che valeva più di mille Xanax, di Giove nel segno e del perdono divino.

Ma la quiete era durata poco, troppo poco. Giusto il tempo di una doccia.

Fu proprio mentre l'acqua gli massaggiava la schiena che l'ingegnere aveva visto, su una mensola, la scatola di preservativi dimenticata da Giacomo durante la notte. In preda al panico, aveva scrutato ogni angolo in cerca di ulteriori tracce – ne servivano altre? – ma tutto era parso tranquillo.

Sarebbe rimasta un'ipotesi. Un'ipotesi che aveva atterrito il marito secchione, anche se non aveva trovato il coraggio, né le forze, di affrontare il problema.

Elena e l'ingegnere avevano finalmente pareggiato il conto, ma stavano perdendo tutti e due.

20

«*Scuseme tanto, ma ela, signorina, la studia o la lavora?*»

«Io?»

«Sì, lei. Siamo solo io e lei. Io ora sono in pensione, però anni fa ero la responsabile di un ufficio della Sip per le chiamate internazionali... ha mai visto qualche film con Kenneth More?»

«No, solo con Kenneth Branagh o Roger Moore.»

La signora non colse la battuta, ma sorrise paziente.

«Quindi, cosa fa?»

«Mi occupo di *private banking*, non so se sa di cosa si tratta.»

«*Seguro*. Chi ha un patrimonio deve avere un *private banker*, oggigiorno. *E su quale banca la lavora?*»

Panico. In tutti quegli anni di poche balle, nessuno le aveva mai chiesto quale fosse il suo istituto di credito.

«Una banca svizzera, di Ginevra.»

«Quale?»

«Ehm... il Credito Svizzero.»

L'apparizione di Giacomo parve salvare la situazione.

«Giacomo, non mi avevi mai detto *che sta to amiga la xe na "private bancher"*... potrebbe essere utile all'architetto, che non sa più dove mettere i soldi. *A mi me basta che no li lassa a la Liuba...*»

Frida guardò Giacomo in cerca di aiuto, anche se

lui era lì, ma non stava lì. La sua mente vagava ancora fuori, in giardino, dove si era catapultato a inseguire con lo sguardo la coppia colpevole della sua malinconia, con quella morbosità autolesionista che colpisce tutti gli amanti.

Sperava almeno in una seconda volta con Elena. "Un secondo appuntamento è importante almeno quanto il primo" si diceva pur di rivederla, "perché è lì che si decide se ne vale la pena." La prima volta non siamo mai abbastanza veri. Pesce crudo anch'io, figurati, decidi tu, certo che mi piace il western, il mare solo sugli scogli, ovvio, se va bene a te va bene pure a me. Sei distratto perché sai – o per lo meno ci speri – che tutto finirà prima in un bacio e poi in un letto.

La seconda volta deve convincerti che è la donna giusta per te. Solo allora avrai davanti agli occhi la persona per quello che è, senza trucchi, senza quell'euforia che ti fa andare bene ogni cosa.

A Giacomo non era stata data una seconda chance, perché l'ingegnere era arrivato prima a marcare il territorio.

Mentre la sua mente era volata via, si rese conto che Frida lo stava fissando. Ripeté l'ultimo pezzo di frase come un alunno distratto.

«Frida... lavora... è una commercialista.»

«*Fioi... meteve d'acordo!!!* Lei mi dice che è una *private banker*, tu la chiami commercialista... il fatto che io abbia ottantaquattro anni non vuol dire che mi si possa prendere per i fondelli, *mi mocari*. Sono una persona fidata e so stare zitta. Puoi benissimo dire che è una *private banker* che *mi tanto no lo digo a nissun*!!!»

Frida si alzò per andarsene, ma Giacomo provò a fermarla trattenendola per un braccio. Solo allora risentì il corpo amico, conosciuto, annusato, esplorato in ogni dettaglio.

«Devo andare» disse senza convinzione. «Ti accompagno» rispose lui di nuovo cosciente delle sue parole.

«*Mi vado a disnar, la saludo, xe sta un piaser*» aggiunse la signora Silvana, risentita, con un tono insolitamente acuto.

I ragazzi alla reception, pur dando retta ai clienti appena arrivati, cercavano di seguire il feuilleton di Giacomo per capirci qualcosa. Loro che lo credevano incapace di innamorarsi, in quei giorni lo avevano visto finalmente umano: ora in preda agli ormoni, ora alle paure, capace di apparire senza cravatta trattenendo la pancia con il respiro. "Per essere felici bisogna fare in fretta" pensava uno di loro che per una ragazza, anni prima, aveva mollato tutto e si era trasferito a Pordenone. E anche se la storia era andata male, continuava a credere che fosse quello l'amore: una partenza senza bagagli né orari né paura di perdere il treno. Osservò Giacomo divertito, facendo finta di lavorare, mentre tirava Frida per il gomito.

«Che ne dici se ci facessimo una passeggiata?»

«Ti ringrazio, Giacomo, ma ho un appuntamento di lavoro.»

«Scusa se mi sono permesso.»

Per un attimo gli venne da ridere. Loro, capaci di un'intimità selvaggia, di colpo distanti davanti a una realtà che li aveva scombussolati. Frida si sentiva ancora offesa per come lui l'aveva aggredita, ma una puttana non poteva permettersi di essere permalosa. Ci ripensò e cambiò tono.

«Chissenefrega, il lavoro può attendere. A cosa serve essere una libera professionista se non puoi disdire l'appuntamento con un pappone di Oderzo?»

«Giusto. Poi quelli di Oderzo sono così provinciali.»

«Sì. Loro sono tremendi. Parlano solo di soldi, bevono ancora il vermut, e a letto sono noiosi.»

Il vermut. Giacomo si era ubriacato proprio di quel liquore, con Salvo, la sera in cui avevano conosciuto la ragazza che li avrebbe divisi per sempre. Una di quelle ciucche che non ti scordi più, e non solo per il mal di testa. Ne allontanò subito il ricordo, e tirò fuori un sorriso.

Uscendo dalla locanda, sperò di vedere Elena e il marito. Voleva dimostrare di essere forte: "Guarda che ragazza ho con me, altro che te col tuo vecchio bacucco tirchio". Ma non incontrarono nessuno.

Si diressero in Campo Santi Apostoli e lì lo scorse, in lontananza, il ristorantino. Riuscì a resistere e a cambiare strada, imboccando un campiello lì dietro, mentre Frida guardava i palazzi con occhi attenti, sbuffando se le vibrava il telefono. Chissà se lo faceva anche quando chiamava lui.

«Quindi credi di potermi aiutare?»

«In che senso?»

«Con Rafael. È andato via senza dirmi niente, mentre tu saprai sicuramente dove abita.»

«In realtà quando è arrivato ha lasciato il suo passaporto, e lì l'indirizzo non c'è.»

Lei si sentì sprofondare, ma un po' anche lui. Pensava di poterlo dimenticare, invece lo doveva rivedere.

«Però mi ha detto il posto dove lavora, quindi in qualche modo lo possiamo rintracciare. Se io fossi in te, però, gli starei alla larga.»

«Perché?»

«Per come è sparito. Non ti ha lasciato nemmeno un numero... è evidente che per lui è stata solo un'avventura.»

«Non è mica detto, tesoro.»

Era la prima volta che lo chiamava "tesoro". Un'espressione che di solito usava con altri clienti, ma mai con lui.

Giacomo era tentato di raccontarle la storia di Regina, ma non voleva atterrirla: in fondo era convinto che nessuno debba permettersi di prescrivere la verità come se fosse il bene supremo. È una medicina da maneggiare con cura, e solo se conosci la posologia.

Frida aspettava che le dicesse qualcosa, ma lui si

limitò a guardarla, come sempre quando voleva glissare. Ogni tanto salutava qualche conoscente, e s'imbarazzava a vedere quegli occhi curiosi verso la sua compagna di passeggio. Non avevano una direzione precisa, per cui giocarono a fare i turisti. Entrarono in San Giorgio degli Schiavoni perché a Giacomo sembrava uno scandalo che Frida non avesse mai visto Carpaccio.

Davanti allo scrigno affrescato che si aprì dinanzi a loro, non ebbero il coraggio di parlare. Lei disse qualcosa solo di fronte al santo che uccide il drago. Era il suo sguardo dolce a emozionarla, a convincerla che le uniche battaglie vincenti sono quelle che fai con il sorriso sulle labbra, quando non te ne importa più nulla, o non hai niente da perdere. Cercò di pensare a Rafael con un po' di autoironia, ma si era dimenticata che l'amore si prende sempre terribilmente sul serio.

Usciti di lì, ciondolarono a lungo, ritrovandosi nel campo che Frida era solita frequentare quando studiava: spritz, baci e chiacchiere tutte le sere fino a tardi. L'Accademia era la zona dove custodiva i suoi pochi ricordi universitari, con quella libreria che vendeva il sapere al chilo e lei pensava che un volume di poesie dovesse pesare più di un romanzo. Quello degli studi era stato l'unico periodo in cui si era sentita uguale agli altri, ma era durato poco. Suggerì di arrivare a Punta della Dogana, perché ci era stata solo una volta, a pomiciare.

Mentre camminavano, anche lui – come Rafael – avrebbe voluto chiederle cosa provava per i suoi clienti, se li compativa, se era loro grata, se avevano tutti le stesse perversioni. Ma sapeva che chiedere di loro sarebbe anche stato chiedere un po' di sé.

«E quella signora bionda, è una tua amante?»

«Di chi parli?»

«Elena, credo si chiami Elena. Quella che prima di

uscire mi ha squadrato dalla testa ai piedi. E ieri mi ha chiesto subito il segno zodiacale. Io li odio quelli che ti chiedono i segni zodiacali, con quel tono di chi sa leggere il futuro. Li odio quasi quanto i trolley.»

«Ci sono altre cose che odi?»

«Sì. Odio i cocktail di benvenuto, le meringate e i cinepanettoni. Ma al primo posto, nella classifica dell'odio, c'è l'insalata di riso. Mi sta proprio sul culo.»

«E perché?»

«Perché è la cosa meno fantasiosa al mondo. E poi ha sempre lo stesso sapore, come quando vai al ristorante cinese, che sa tutto di salsa di soia.»

«Bene, prenderò nota. Vedi, la signora Elena è una nostra cliente, viene qui da molti anni con suo marito.»

«E a te piace.»

Giacomo non sapeva cosa rispondere, perché ammetterlo con qualcuno lo avrebbe fatto sentire colpevole. Per fortuna Frida cambiò discorso.

«È proprio qui che hanno liberato il leone, ti ricordi?»

«Che leone?»

«*Like a Virgin*... il video di Madonna. La mia canzone.»

«...»

«Non la conosci?»

Lui ricordava solo che quando lavorava al Ritz, Madonna aveva chiesto un mojito molto dolce, e il barman quasi si era offeso, prima di abbozzare. Per il resto, sapeva il ritornello della *Isla Bonita* e di *Paparazzi*, che però forse non era sua.

Frida si guardò intorno circospetta, cominciò a sbottonare l'impermeabile e a cantare, stonando: «*Like a Virgin... ehi... touched for the very first tiiime*».

Mimava ogni gesto come se fosse in un night, perché la eccitava l'idea che Giacomo potesse imbarazzarsi davanti ai turisti stipati sui vaporetti.

Come previsto, s'irrigidì, mentre lei riceveva applausi sgangherati. Ma sentiva una pulsione che lo spingeva a vivere tutto con maggiore trasporto, come se dovesse salire su un'auto in corsa. Se solo avesse conosciuto il testo, avrebbe addirittura mimato il labiale.

Invece si limitò a battere il tempo con il piede, quasi di nascosto, con l'innocenza di chi non si è mai abbandonato completamente a una canzone pop.

21

Finché fu possibile, in quel giorno di sole timido Elena e l'ingegnere fecero finta di niente.

Si distrassero a pranzo con il fegato alla veneziana preparato al momento, pagato il giusto perché venivano da un albergo amico e quindi niente sorpresa riservata ai turisti. A entrambi, prezzi così bassi avevano fatto sorgere il dubbio che il ristorantino non fosse di buona qualità, ma tant'è.

Dopo caffè e amaro – ma che sia San Simone, *s'il vous plaît* – si misero a passeggiare. L'ingegnere, per una volta, mostrò di interessarsi all'arte, ma solo per illudere la moglie che qualcosa stesse cambiando. Infilò gli occhiali per leggere un cartello che indicava OPERE DI PALMA IL GIOVANE, TINTORETTO E TIZIANO VECELLIO. Erano di nuovo alla chiesa dei Gesuiti, dove Elena aveva badato a spese e si era messa a polemizzare all'ingresso.

L'addetta alla biglietteria stava ancora lì, con la faccia annoiata e le mani pronte a fornire la guida. Quando rivide la madamina, avrebbe tanto voluto gridarle: *"Ti xe proprio na morta de fame"*.

Appena entrati, stettero in silenzio, distratti dalle opere che non riuscivano ad apprezzare come avrebbero voluto. Accesero una candela a testa – le pupe, pensiamo alle pupe – e fecero una preghiera che era rivolta solo a se stessi: "Perché?" si chiedevano entrambi. "Perché proprio a me?" Elena intravide un'ombra muoversi dietro il confessionale e andò in agitazione, terrorizzata che il prete la chiamasse a rivelare le sconcerie. Per scongiurarlo, accese un altro cero alla Madonna, sicuramente lei l'avrebbe protetta, se non ci si aiuta tra donne. In quel momento le venne in mente una cosa cui non aveva mai pensato: Gesù era nato il 25 dicembre, quindi doveva essere per forza un Capricorno. Intelligente, testardo, sagace. Sì, Gesù era proprio così, almeno secondo le Scritture. E Maria di che segno sarà stata? Probabilmente Bilancia, come lei, il segno della bellezza e della perfezione. O Vergine, se esiste il detto *nomen omen*. No, Maria era sicuramente della Bilancia. Mentre lo pensava si accorse che l'ingegnere la stava guardando con una certa apprensione. Non avevano quasi mai litigato, loro, tranne una volta. La signora desiderava una casa più grande a Sestrière, mentre l'ingegnere sarebbe voluto tornare a Salice, dove sciava da bambino. Alla fine aveva vinto lei, ma per qualche giorno lui le aveva risposto a monosillabi. In molti anni di matrimonio, questo era stato il massimo della tensione. Per il resto, tacito assenso su tutto. L'ingegnere si ritagliava i suoi spazi seguendo i cantieri – veri o presunti – mentre la signora si occupava del negozio e rincorreva i mercatini dei dintorni, da Moncalieri a Nizza. Si presentavano in pubblico sempre sorridenti, forti del loro patrimonio di grandi case e piccole cose.

Erano cambiati di colpo, invece. Ostaggi delle umane debolezze e di troppe candeline. Una torta di compleanno che a un certo punto non riesce più a contenerle tutte, e allora si comincia a metterne una sola. Triste. Con il numero in plastica. E mentre all'inizio si chiudono gli occhi per esprimere un desiderio – mai che si avverasse una volta – poi lo si fa soltanto per non vedere più quel numero.

Anche l'ingegnere si era scrutato allo specchio, quella mattina, dopo aver visto la scatola di preservativi. Erano anni che non osservava il suo corpo con tale attenzione: qualche pelo imbiancato, ma non sul pube, le spalle appena cadenti, un accenno di doppio mento, la pancia. Mai come in un momento di sconforto è facile autodistruggersi, e anche lui era caduto in tentazione.

Usciti dalla chiesa, marito e moglie si sedettero su una panchina a guardare i passanti. Sembrava che avessero cent'anni.

«Come mi trovi?»

«In che senso?»

«Fisicamente, dico. Secondo te sono ancora in forma?»

Elena si rese conto che non sapeva cosa rispondere. Non ne aveva proprio idea. Pensava solo a Giacomo, che aveva lasciato nella hall con quella ragazza che conosceva appena, e non l'aveva neppure salutato. E poi al prete, chissà se l'aveva vista dalla grata, se dai suoi occhi aveva capito che aveva peccato.

«Sì, direi di sì. Certo potresti giocare un po' di più a golf, ma anche io del resto, guarda qui.»

Pur cercando di mostrarsi rilassata, non lo era per niente. Conosceva abbastanza quel secchione di suo marito per sapere che le stava per fare una domanda difficile.

«Hai... un amante?»

«...»

«Elena, non guardarmi così... rispondimi, però. Hai un amante?»

"Glielo dico? Glielo dico" pensava lei. "Glielo dico che a quarantaquattro anni ho finalmente trovato qualcuno che mi fa sentire donna, che conosce i segreti del piacere, che non fa domande perché conosce già la risposta. E, soprattutto, una persona che non mi racconta balle ogni giorno, andando a letto con la segretaria. Banale fino in fondo. Certo sarà un po' dura, all'inizio, con le pupe. Vorranno stare con me, anzi io voglio che stiano con me. E se lui non è d'accordo e mi fa causa? Quelle robe tipo 'abbandono del tetto coniugale'?"

Elena guardò l'ingegnere dentro il suo loden verde e cercò di ricordare com'era nudo. Non le veniva in mente niente della notte appena trascorsa, solo i suoi gemiti e l'odore di disinfettante.

Cercò di ricordarsi di quando erano andati ad Alassio, l'ultimo weekend di settembre. Facevano l'amore quasi solo quando andavano al mare, come se quella casa fosse il rifugio delle trasgressioni: cene sulla spiaggia e scopatina a seguire. A pensarci bene, non era neanche così male.

«Dillo: hai un amante o no?»

Circondata da un silenzio assordante, si accorse che l'ingegnere le stava stringendo le spalle come in una minaccia.

«Ma come ti viene in mente, proprio tu. TU CHE TE NE VAI IN GIRO A PERDERE PRESERVATIVI!»

«Ti consiglio di abbassare la voce, Elena, siamo davanti a una chiesa.»

«Allora tu smetti di dire cose che non stanno né in cielo né in terra.»

«Guarda che ho visto cosa tenevi in bagno, e non li hai neanche nascosti.»

Si sentì mancare sui suoi tacchetti Prada, ma sperava ancora che non fosse vero.

«E cosa... avresti visto?»

«Preservativi. Una scatola. Ed era aperta.»

Ci sono volte in cui la verità sembra l'unica via d'uscita, ma la disperazione è capace di fare miracoli.

«L'ho fatto apposta.»

«...»

«...»

«Ah, l'avresti fatto apposta!»

«Volevo che anche tu capissi quello che ho provato

io, quando ti è caduto quel coso di tasca. Sono contenta che adesso lo sai.»

All'ingegnere spuntarono le lacrime agli occhi, mentre Elena avrebbe solo voluto piangere per la vergogna. Ma era salva. Si era salvata senza neppure sapere come, anzi: era in una posizione di ulteriore vantaggio, anche se era un peccato in più da confessare, mamma quanti peccati in poco tempo, e la giornata non era ancora finita.

Non riuscirono a baciarsi come avrebbero dovuto. Si abbracciarono stretti nei loro cappotti, lontano dai corpi e da intenzioni erotiche, senza parlare. Le parole li avrebbero imbarazzati, e quello fu un colpo di fortuna soprattutto per Elena, così poco abituata a mentire che si sarebbe subito tradita.

Guardò la chiesa e sarebbe voluta rientrare per accendere un altro cero alla Madonna, era stata sicuramente lei a suggerirle quella risposta geniale – se non ci si aiuta tra donne. Desiderava solo che la questione finisse lì. Ma era da due giorni che l'ingegnere aveva una frase stretta in gola, e che aveva provato a ripetere come una poesia da recitare. Prese fiato e la disse.

«Elena, tu sei una moglie stupenda.»

«Lo pensi veramente?»

«L'ho capito solo quando sei andata via. Quella colazione senza di te è stata un incubo...»

«Davvero?»

«Sì, un incubo. Non sapevo nemmeno dove fosse il Nesquik! Per fortuna che le pupe l'hanno presa sul ridere.»

Una delusione imbarazzata si dipinse sul volto di lei. Stava di nuovo per mettersi a piangere picchiando i pugni sulla panchina, ma era troppo turbata per il pericolo appena scampato, per cui si trattenne. Per suo marito l'incubo era non sapere il posto del Nesquik. Poi lei lo trovava così proletario, il Nesquik, che aveva cercato in tutti i modi di sostituirlo con altri cacao in polvere comprati in pasticceria. Niente. Le pupe volevano il Nesquik, e lei era stata costretta ad accontentarle.

«Cosa gli hai detto della mia sparizione?»

«La verità. Che eri dovuta venire a Venezia perché c'era un mercato importante e dovevi comprare oggetti per il negozio.»

«E ti hanno creduto?»

«Perché non avrebbero dovuto? È la verità.»

L'ingegnere le fece l'occhiolino, anche se gli venne piuttosto goffo, e invitò Elena ad alzarsi. Si sentiva talmente pieno di entusiasmo che quasi tradì la sorpresa che aveva in mente.

Dopo cinque anni, tornarono a Torcello. Visitarono l'abbazia e il chiostro, e per un istante pensarono di fermarsi da Cipriani. Ma per Elena era inconcepibile andare a cena senza cambiare *mise*, per cui si limitarono a una passeggiata lontano dai turisti al calare del sole.

Il cielo, finalmente, mostrava qualche contrasto.

Davanti a un tramonto deciso, finsero di ritrovare l'intimità che di fatto non avevano mai avuto. In realtà, desideravano entrambi tornare a Torino a recitare le loro vite, ora arricchite di qualche aneddoto piccante che difficilmente avrebbero confessato.

All'ingegnere ogni tanto tornava in mente la scatola di preservativi, ma si sforzava di farla sparire dalla sua testa. Dopo una lunga riflessione, dedusse che per Elena fosse molto più facile comprare preservativi che portarsi un amante in camera, per cui smise di pensarci e si accese un sigaro.

Appena il sole scomparve all'orizzonte, guardò sua moglie negli occhi esprimendo un unico desiderio:

«Ce ne andiamo a casa?»

22

Elena andò via senza lasciare un biglietto, né una lettera, né un messaggio a voce. Sparita con il marito salutando solo uno dei ragazzi alla reception. "Complimenti per il prosecco" aveva detto, e Giacomo si era aggrappato a quella frase per trovare qualche significato.

«Ha detto proprio così? "Grazie per il prosecco"?»

«In realtà ha detto: "Complimenti per il prosecco". Gentile, no, da parte sua?»

«Ha aggiunto altro?»

«Nossignore.»

«Biglietti...»

«Niente.»

«...»

«In realtà una cosa l'ha lasciata.»

Il ragazzo tirò fuori una busta dal retro.

«Cinquanta euro di mancia.»

«E nessun biglietto.»

«Niente, signore. Mi spiace. Solo i soldi.»

«Bene... tu per caso... conosci una palestra? A parte quella per i clienti del Bauer.»

«C'è qualche ospite che vorrebbe allenarsi?»

«In realtà... interesserebbe a me.»

Per un attimo, tra i due ci fu uno strano silenzio, ma Giacomo aveva ripetuto troppe volte di non mostrarsi mai sorpresi davanti a qualsiasi richiesta.

«Mi lasci fare qualche telefonata, perché io mi alleno a Mestre e non sono tanto pratico di qui. Mi informo e le dico.»

«È abbastanza urgente.»

E mentre l'altro mise una mano sul petto come a dire *fidite de mi*, Giacomo risalì in camera a passi piuttosto lenti. Era partita. Elena era partita quella mattina. Perché non era comparso prima nella hall? Come mai per una volta aveva indugiato tanto?

In realtà, aveva avuto paura di incontrarla con il marito. Paura di quegli sguardi indifferenti, impotenti di fronte a un sentimento forte ma vietato. Allora meglio evitare, con il rischio di sembrare codardi mentre si è solo strategici.

Però era dura. Aveva una certezza basata solo su una sensazione, e a volte non è sufficiente per continuare a crederci. Si guardò allo specchio e si mise a piangere. Erano anni che non lo faceva, non ricordava nemmeno che le lacrime fossero salate. Le guardava scendere a rigare quella faccia rossa, gli occhi stretti, l'urlo silenzioso di chi non vorrebbe essere sentito da nessuno. Devo fermarmi, si diceva, senza riuscirci. Come quando Salvo gli aveva confessato, dopo la maturità, che se ne sarebbe andato a Parigi, dimenticandosi di Stoccolma e di tutte le volte che se lo erano promesso. E lui aveva reagito facendo finta di nulla, per poi crollare in camera, guardando il suo destino andare a puttane senza provare a cambiare rotta.

«In bocca al lupo» gli disse allora.

"Dovevamo andare in Svezia" gli avrebbe voluto dire.

Dopo oltre trent'anni, Giacomo si buttò nella stessa posizione sul letto, testa sotto il cuscino e pugni sul materasso. La voce, per una volta, si lasciò andare. Con Elena aveva toccato il cielo e non era riuscito a rivelarlo a nessuno. Neppure a Rafael, che l'avrebbe ascoltato senza giudicarlo.

E giù lacrime.

Fu il telefono a porre fine a quello strazio: avevano trovato la palestra, con tanto di conferma di un amico che la frequentava. Un piccolo centro dietro calle della Testa, la Big Gym.

Era giunto il tempo di reagire. L'avrebbe ritrovata – non poteva finire così – ma bisognava diventare irresistibili: dieta e palestra l'avrebbero reso vincente. Si specchiò di nuovo. Un po' di pancia c'era, senza dubbio, ma per il resto aveva una gran bella struttura, non quelle spalle ricurve dell'ingegnere pezzente, cinque euro di mancia, bleah.

Si rinchiuse per mezz'ora nell'unico negozio sportivo che conosceva e comprò qualsiasi cosa, dai calzini ai guanti all'accappatoio, tutto coordinato.

Dopo svariate prove, lasciò la locanda bardato di tutto punto, senza preoccuparsi di poter incontrare clienti o conoscenti. Era un professionista che doveva ritrovare l'autostima.

Arrivato alla Big Gym, gli salì l'eccitazione. Come regalo di benvenuto, gli offrirono una lezione di prova con Romeo, il personal trainer. Alto, muscoloso-adiposo, canotta, collanazza d'oro, un tatuaggio sbiadito di un tribale mal fatto.

Alla domanda: "Perché ti sei iscritto proprio oggi?" Giacomo fu piuttosto in difficoltà. "Per amore" avrebbe voluto dire. Invece bofonchiò: «Per ritrovare la forma».

«Cosa intendi per "ritrovare la forma"? Sei mai stato in forma in passato?»

«Be'. Sì. Credo di sì...»

«*Ti ga mai fato qualche sport?*»

«Occasionalmente.»

«Tipo?»

«Calcio.»

«Giochi a calcio?»

«Ogni tanto. Da ragazzo giocavo in collegio mentre adesso tiro solo qualche rigore.»

«???»

«Sì, con un amico brasiliano.»

Romeo si sentì leggermente preso in giro, ma era troppo attento a gonfiarsi per offendersi.

«Fai una dieta equilibrata?»

«???»

«Tonno, riso in bianco, verdure?»

«All'occorrenza. Quando mi ricoverano.»

«Soffri di ernia inguinale?»

«Era una battuta.»

«Giacomo... la palestra *la xe na roba seria*! Se cominci così è la fine. Noi siamo qui proprio per questo. Per farti fare massa.»

«Cos'è la massa?»

«La massa muscolare. Questa.»

E Romeo inturgidì il suo bicipite rimirandosi allo specchio. Poi riempì il suo allievo di parole, prima che di esercizi:

pulley
lat machine
petto
curling
scott
sit up
squat
lento avanti
lento dietro
twisting
french press
rematore
dorsy bar
crunch
crunch laterale
crunch inverso.

Di tutte queste, Giacomo intuiva "petto", immaginava "rematore", ma non voleva saperne del "crunch inverso". L'allenamento, in realtà, fu molto più serio di quanto si aspettasse, e il povero Romeo, tra una serie e l'altra, provò anche a dire qualcosa di sensato. Viveva per la palestra e alla palestra dedicava ogni sua parola.

Giacomo lasciò la Big Gym tonificato da doccia, sauna e bagno turco. Aveva una gran fame ma optò per un bicchiere di frutta da passeggio, mentre provava a ripassare i consigli dietetici del suo PT, come lo chiamavano in palestra: tante proteine, pochi carboidrati. E tanta acqua. E sei bianchi d'uovo al giorno.

Sentì i polmoni riempirsi di ossigeno, e gli salì addirittura l'ormone.

Non era mercoledì e molte cose erano successe, ma aveva bisogno di conferme. Inspirò ancora una volta e telefonò a Frida.

«Sei riuscito a parlare con Rafael?» Lei lo aggredì con la sua fissazione.

«No... non ancora. Ho bisogno di un po' di tempo.»

«E quindi vorresti...»

«...»

«Un appuntamento... per oggi?»

Frida non riuscì a nascondere la delusione. Per lei i clienti erano un mondo a sé, e Giacomo non aveva mai fatto eccezione, se non per la tariffa scontata. Però, all'improvviso, tutto era cambiato: le vicende di Rafael, la passeggiata a Punta della Dogana – *Like a Virgin* –, le confidenze, le avevano fatto conoscere un uomo diverso, una persona garbata e sensibile. Un uomo così non poteva chiederle ancora sesso, l'avrebbe mortificata, e lui lo intuì, anche se tardi.

«Macché appuntamento! Volevo farti un saluto e ringraziarti per il pomeriggio di ieri. La performance di Madonna è stata indimenticabile.»

«Davvero? Ti è piaciuta?»

«Molto. Voglio comprare il disco.»

«Il cd...»

«Il cd.»

«Giacomo, scusa ma hanno suonato. Dev'essere l'assessore porco. Fammi sapere appena sai di Rafael. Non mi dimenticare.»

«Stai tranquilla, e... buon lavoro.»

Quell'ultima frase gli uscì male e strozzata. Per un attimo, provò a indovinare quanto potesse guadagnare Frida, ma non conosceva il listino prezzi. Si pentì di quel risveglio sessuale nato soltanto per fare un dispetto a Elena, come se tradirla a distanza potesse allontanarne il ricordo.

Sentì che la depressione stava per assalirlo di nuovo, quindi accelerò il passo verso la locanda. Per fortuna il conte Gallina era lontano – si stava divertendo a Barbados – altrimenti avrebbe pensato che stesse trascurando il suo lavoro.

Prima di varcare l'ingresso, tolse il borsone a tracolla e lo prese per i manici, per apparire il meno ridicolo possibile. Ma i ragazzi, a questo giro, non riuscirono a trattenersi.

Per cercare di restare seri, gli offrirono un succo di frutta. Che aveva detto Romeo a proposito dei succhi? Aveva accennato qualcosa degli zuccheri semplici, ma non aveva capito bene. Nel dubbio, ne bevve un paio di bicchieri mentre chiedeva di usare un computer. Gli fecero spazio senza proferir parola – sghignazzavano in silenzio – osservandolo impotenti digitare "Rafael Pato" su paginebianche.it.

Quando provò a scrivere "Tonga Bar" su Google, gli venne fuori di tutto, a partire dall'isola di Tonga. Finalmente, dopo vari tentativi, lo vide spuntare, ed era proprio a Trezzano: "Cocktail bar, tramezzini, tavola fredda, aperitivi, serate a tema, cerimonie, pianobar." Sembrava il locale di tutti i locali.

Si appuntò il numero di telefono, e salì in camera. Ci mise un po' prima di chiamare, la ferita del diario era ancora dolorante, ma sentiva che Elena lo avrebbe protetto dai suoi fantasmi personali.

Dopo cinque minuti surreali con la cassiera, scoprì che Rafael – lei lo chiamava Lele – lavorava al Tonga Bar quasi tutte le sere. Non era autorizzata a lasciare messaggi. Non era autorizzata a dare il suo cellulare. Ma si sentì autorizzata a spiattellare cosa pensava di lui: «È un ragazzo sprecato a lavorare qui, lui deve fare te-le-vi-sio-ne. Ha proprio la faccia adatta, ha presente?... Uno di quelli seduti sul trono che tutte le ragazze gli chiedono di uscire e poi se lo litigano tirandosi i capelli... deve vedere che pubblico di oche viene a vederlo tutte le sere... e ogni volta ha l'imbarazzo della scelta! Alcune sere vengono anche dei gay! Loro se lo mangiano proprio con gli occhi, anche perché lui sta allo scherzo e sa parlare... ma per me Lele deve fare te-le-vi-sio-ne! Ah, io mi chiamo Tamara. Pronto, è ancora in linea?».

Giacomo si presentò e le disse che la televisione la teneva quasi sempre spenta.

Tamara se lo fece ripetere tre volte, incredula: «E come fa a vivere senza?».

«Infatti sopravvivo» le rispose.

Stava cominciando a perdere la pazienza, ma bastò un'occhiata allo specchio per fargli cambiare tono. Anche Tamara cambiò tono, quando si accorse che le era colato il mascara.

Misero giù all'unisono troppo presi da sé.

23

Passarono alcune settimane senza che nessuno parlasse con nessuno.

Rafael aveva provato a chiamare Regina; Giacomo aveva provato a chiamare Rafael; Frida avrebbe chiamato volentieri Rafael, ma non aveva il numero; Elena avrebbe chiamato volentieri Giacomo, ma non aveva il coraggio.

Il più scombussolato di tutti era proprio lui. Si trovava in mezzo a una rivoluzione emotiva su tutti i fronti, dalla lite con il brasiliano alla passione per la torinese, dai ricordi del collegio alla missione per Frida. Era soprattutto quest'ultimo impegno ad angosciarlo, proprio perché coinvolgeva una terza persona. Aveva ormai capito che parlare al telefono con Rafael era impossibile: "Lele non c'è", "Lele è impegnato", "Lele riprovi più tardi". A ogni telefonata, Tamara aggiungeva nuovi dettagli che non si traducevano mai in qualcosa di pratico. L'unica soluzione era farsi coraggio e andarlo a trovare di persona, chiarirsi sull'accaduto e riferirgli il messaggio.

Non rimaneva che presentarsi al Tonga Bar. Avrebbe chiamato un ex compagno di Stresa, che nel frattempo era diventato direttore del Park Hyatt. Ogni volta che era passato da Venezia gli aveva ribadito di andarlo a trovare a Milano, e questa era l'occasione giusta.

Giacomo arrivò sotto la Madunina in un tardo pomeriggio di dicembre. Mentre scendeva dal vagone, gli altoparlanti bofonchiavano che i treni partivano in ritardo, arrivavano in ritardo, e le FS si scusavano per il disagio. Si scusavano per il disagio. Si scusavano per il disagio. Per un attimo, si sentì a disagio pure lui.

Gli sarebbe piaciuto prendere un treno al volo e presentarsi sotto casa di Elena.

"Ma hai quarantotto anni" si disse. "Non puoi metterti a fare le pazzie ora" ripeté un paio di volte, anche se non era convinto del tutto.

Fuori della stazione l'aria era gelida, le luci di Natale già accese. Giacomo indossava un gessato marron con cravatta di Jack Emerson e Church's dello stesso marron del gessato. Attese un taxi con la pazienza di un Lord e arrivò in hotel ad abbracciare il suo vecchio amico.

Pur essendo fisicamente distanti, si assomigliavano. Di poche parole, ma sensate. Gentili ma non stucchevoli. Capaci di non scoppiare a ridere se una signora sui trampoli scivolava sul parquet.

«Uè, che ci fai a Milano?»

«Sono venuto a trovare un amico.»

«Allora perché non cenate da noi, stasera? Abbiamo appena cambiato chef.»

«Ti ringrazio, ma ho già questo impegno.»

«Dove?»

«Credo... a Trezzano.»

«A Trezzano?»

«Sì, lavora lì.»

Il direttore avrebbe voluto prenderlo in giro, per questo, ma si ricordò che Giacomo non amava gli scherzi.

«Interessante, Trezzano. E Antonio, l'hai più sentito?»

«Mi ha scritto. È in Toscana, a Fonteverde, si trova molto bene.»

«Era ora! Ma sai chi è venuto la scorsa settimana?»

«Alessio?»

«No, lui è sempre al Quisisana. È passato Salvo.»
Una bomba esplose nel suo cuore, ma Giacomo ebbe i riflessi per mostrarsi imperturbabile.
«Salvo?»
«Salvo. Il tuo amico Salvo Brancata. Quello con cui mai nessuno ha capito cosa è successo.»
«E... lui come sta?»
«Bene. Si è sposato con una ragazza giapponese, vivono a Parigi... ma sta pensando di trasferirsi a Tokyo. Mi ha chiesto di te, sai? Avessi saputo che stavi per venire avrei organizzato una rimpatriata con tutti.»

Per un attimo rivide quel gol al novantesimo. Salvo aveva svettato come nessuno, era rimasto sospeso nell'aria, e aveva colpito di testa. Giocare contro di lui, per gli avversari, era come giocare contro il tempo. Sapevano che prima o poi avrebbe segnato.

Si guardò intorno per cambiare discorso. Non voleva parlare, perché ogni parola avrebbe tradito dolore e rimpianti. Il viavai di ricchi gli ricordò i fasti del Ritz, e pensò che non ce l'avrebbe più fatta a reggere i ritmi di un albergo internazionale.

Chiuse la discussione con una battuta di circostanza e si ritirò in camera. Per rilassarsi, provò a fare un sonnellino, ma inutilmente: Salvo era vivo e aveva chiesto di lui, e questo gli dava un'indicibile gioia. In quella mezza frase, aveva capito che certi sentimenti vanno al di là dei fatti, delle parole e del rancore.

Rimasto solo davanti al passato, Giacomo vide finalmente la verità. Lui e Salvo si erano innamorati, e si erano amati con la stessa intensità, senza poterselo dire, senza poterlo fare. Se non la sera in cui avevano conosciuto Jacqueline.

Il collegio era quasi deserto, e loro se n'erano andati trulli e brilli per Stresa a caccia di turiste. Solo una gli aveva dato retta. Aveva vent'anni, era appena stata mollata, e sentiva con la stessa urgenza la voglia di vendicarsi e quella di divertirsi. Avevano bevuto insieme una bottiglia di vermut – la tenevano nello zainetto – e avevano iniziato a parlare buttati su un prato. Davanti agli occhi languidi della francese, i due avevano cominciato a farsi cenni di complicità che li eccitarono da morire, portandoli a chiudere la serata in tre. Nella camera di Salvo.

Sballottati tra il lettino e la poltrona – la sballottata, in realtà, era la ragazza – i due avevano capito che avrebbero potuto divertirsi pure senza di lei. L'aveva capito anche Jacqueline che a un certo punto, sentendosi esclusa dai giochi, decise di lasciarli soli.

Giacomo non fece nulla per trattenerla, anzi l'aiutò a rivestirsi.

Salvo le disse: «*Merci beaucoup*».

Appena Jacqueline uscì, il cielo entrò nella stanza, e si fermò per poco più di mezz'ora. Salvo era posseduto dall'eccitazione, Giacomo pure, anche se si sentiva sporco e colpevole. Si stava divertendo, certo, ma sentiva che il suo piacere era sull'orlo di un precipizio. Di colpo si fermò, e pensò che la fuga sarebbe stata l'unica cura per mettere a tacere un desiderio proibito e non più realizzabile.

Da quella notte euforica, non sarebbe più stato lo stesso, decidendo di lasciare il suo ruolo in attacco e di giocare in panchina.

Per anni.

Anni in cui aveva cercato di non pensarci e di dormire. Perché solo quando dormiva riusciva a non essere triste. E in quella vita senza fretta – primo sintomo d'infelicità – si era aggrappato all'organizzazione ossessiva del tempo e del lavoro, per non correre altri rischi.

Ma dopo tutti quegli anni, malgrado la delusione e la rabbia, Salvo aveva chiesto sue notizie. Fu la prova che, come gemelli lontani, continuavano a essere collegati.

Di colpo, affrontare Rafael sembrava più facile. Giacomo si sedette alla scrivania che affacciava sui tetti. Prese a scrivere su fogli sparsi senza pause né tentennamenti e si preparò sereno all'appuntamento. Poi Rafael era una di quelle persone che portano fortuna, o lui s'illudeva che fosse così: appena si erano conosciuti, Elena si era rifatta viva, e ora che si era deciso a cercarlo, ecco ricomparire Salvo.

Davanti allo specchio, vide quanti progressi gli aveva fatto fare Romeo – santo subito! – che lo stava allenando tre volte a settimana e lo seguiva nella dieta. Lo lasciava trasgredire solo sui prosecchi, ma per il resto lo aveva completamente indottrinato all'"invasatura da palestra" a base di sacrifici e proteine.

Dopo aver cenato in quella splendida junior suite – petto di pollo e riso in bianco – prese un taxi fino al Tonga Bar.

«È proprio sicuro? Io non l'ho mai sentito» provò a dire il tassista, ma lui non ebbe dubbi.

E infatti eccola, l'insegna al neon con tanto di palmetta e l'elenco di attività: COCKTAIL, PIANO BAR, APERITIVI, FESTE DI MATRIMONIO, CERIMONIE, SERATE A TEMA, TAVOLA CALDA E FREDDA. Avessero avuto spazio avrebbero messo anche "toilette".

All'ingresso ritrovò Tamara, la cassiera con cui aveva parlato al telefono. Non se l'era immaginata così truccata.

«Sono dieci euro con la consumazione.»

«Buonasera, sono Giacomo.»

«'Sera.»

«Ho chiamato qualche giorno fa.»

«Oggi sono dieci euro con la consumazione obbligatoria perché c'è lo spettacolo.»

«Io vorrei solo salutare Rafael, se è arrivato.»

«Chi?»

«Rafael... Lele.»

«Ah, tu sei l'amico di Lele!!! Potevi dirlo subito... sono Tammy, ti ricordi? Un attimo che vedo se è arrivato.»

Giacomo non avrebbe mai immaginato che la parola magica fosse "Lele". La ragazza aprì una specie di sgabuzzino dietro la cassa e tornò sorridente.

«Sì, c'è già il giaccone. Puoi scendere sotto. Comunque complimenti: per la tua età, sei proprio un bell'uomo. Hai già fatto televisione? Ah, già, che tu la tieni spenta.»

«Ecco i dieci euro.»

Gli fece l'occhiolino restituendogli i soldi, allungando pure una consumazione omaggio. Aveva le sopracciglia appena fatte, talmente sottili da sembrare Anna Tatangelo. Era la tipica trentenne alla disperata ricerca di un uomo, ma aveva la sfortuna di essere attratta solo dai bastardi. Non li cercava neanche belli, perché non si sentiva all'altezza. L'importante era che fossero bastardi: che la facessero sognare per una sera e sparissero all'improvviso, come Pino. Che tanto alla fine cedeva lei. Dopo giorni interminabili, telefonava facendo finta di niente, ridendo per ogni cosa, cercando di essere maliziosa, mettendosi subito in saldo per ottenere un altro appuntamento. E poi di nuovo il nulla, nemmeno un messaggio. Una volta aveva incontrato Pino in birreria che le aveva chiesto come mai era sempre senza un ragazzo. E lei muta. Così si era rimessa a sognare un tronista e a imbottirsi di fiction con Gabriel Garko. Avrebbe voluto parlarne con Giacomo, di Pino, perché la faccia le ispirava, ma non guardava la televisione e non l'avrebbe capita.

Lui la ringraziò della consumazione e scese nel seminterrato, salutandola con la mano. Sulle scale, controllò nel portafoglio di avere contante a sufficienza. Appena vide il bancomat, gli venne paura di perdere tutto e di trovarsi in mezzo a una strada a chiedere aiuto ai passanti. Sfilò la tessera magnetica e la mise in un'altra tasca, per sicurezza. "Perché quando si viaggia da soli" diceva ai suoi clienti, "è meglio tenere separate carte e contanti, per evitare brutte sorprese."

Il locale era un'accozzaglia di locali, come l'insegna. C'era l'angolo legno e bambù, l'area divani in pelle, la parte gelateria con il menu fotografico e naturalmente l'isola tropicale. Dietro il bancone, bello come un sole che trafigge le nuvole, Rafael pestava zucchero di canna. Le maniche della camicia appena tirate su, il papillon piccolo, la faccia seria. Ma il sorriso esplose non appena vide Giacomo, disarmandolo. Dai tempi di Salvo, non aveva mai visto un sorriso che sapesse valorizzare così tanto un volto. Il barista brasileiro abbandonò lì due clienti in attesa e scese dalla pedana per abbracciarlo. Non gli lasciò neppure il tempo di protestare.

«JACK!!! Lo sapevo che eri un pazzo come me.»

«Come stai, Rafael? Volevo scusarmi per...»

«Siediti lì che devo finire due cocktail. Ora te le do io le tue scuse.»

Fuggì senza dargli il tempo di replicare. Giacomo invece ci teneva a chiarire subito il malinteso, era nervoso e non riusciva a fermare la mano che aveva preso a tamburellare sul tavolo. Dalla reazione, sembrava che non avesse letto nulla sul quaderno, però è anche vero che gli stranieri hanno un'altra mimica facciale, per cui magari in Brasile quando si è imbarazzati si sorride. Ma Rafael non era per nulla imbarazzato e non aveva bisogno di chiarire niente, perché era abituato a concentrarsi sulla sostanza delle cose, non sui dettagli. Vedendolo aveva già capito tutto: nessuno si scomoderebbe venendo fino a Trezzano per mettersi ancora a litigare, per cosa poi? Per aver letto un quaderno con le descrizioni dei clienti e una confessione omo? Capirai.

Ci mise un pezzo del suo cuore dentro quella batida, servita con ghirigori di frutta e bandierine. Gliela portò personalmente al tavolo e fece un cin virtuale prima di sedersi.

«Al grande Jack che mi ha fatto una sorpresa.»

«Rafael, vorrei scusarmi...»

«Piantala e bevi, che ho da fare.»

Obbedì come uno scolaretto, sentendo le sue preoccupazioni svanire al primo sorso.

«Allora, ti piace? È il mio cavallo della battaglia.»
«Di battaglia.»
«Cavallo di battaglia. Sì, ma ti piace? Lo facevo quando stavo a Rio.»
«È ottimo, complimenti. Ma non avevo dubbi... quando hai finito di lavorare ti dovrei parlare.»
«E di cosa mi vuoi parlare? Ancora con questa storia?»
«No, no... è un'altra cosa.»
Rafael si alzò perché cominciava a esserci troppa gente al bar e non voleva lamentele. Anche se non gli piaceva ammetterlo, era molto professionale.
«Dove dormi stasera?»
«Da un amico che lavora in un hotel.»
«Ma sei sempre in un hotel... basta!!! Stai da me, tanto Zazinho va dalla ragazza... così puoi dormire in camera sua... c'è pure il bagno con la vasca!»
Non lo fece neanche rispondere che aveva preso posto dietro il banco a rincorrere l'elenco di ordinazioni.
All'improvviso si abbassarono le luci, e la musica di sottofondo esplose in un mix indistinto di samba. Da tendoni posticci sbucarono ballerine con ambizioni da *rainhas do Carnaval*.
Giacomo allungò le gambe come quando sei di fianco a uno che guida troppo forte. Distolse lo sguardo dalla pedana in cerca di aiuto, ma Rafael lo fulminò con l'aria di chi si diverte come un matto: "Stasera comandiamo noi".
Cominciò il più tamarro dei deliri, con le clienti che salivano sulle sedie davanti ai fidanzati, a loro volta in balia del culo delle ballerine.
Non fece in tempo a bere un altro sorso di batida, Giacomo, che si trovò una ragazza seminuda ad ancheggiare davanti a lui. *Do not panic. Do not panic.*
E *panic* fu.
Rafael, dal bancone, si godeva la scena. Dovette però cambiare rapidamente espressione perché Regina stava scendendo le scale e non smetteva di fissarlo.

24

Riuscì a liberarsi usando l'arma più micidiale del mondo, dopo l'aglio: il terrore.

I suoi occhi erano talmente sbarrati che anche la brasileira, pur abituata a sollecitare i clienti, aveva dovuto mollare la presa. Poveraccio, Giacomo. Sempre pronto a chiedere permesso per ogni cosa, catapultato all'improvviso nella bagarre.

«Potevi anche dirmelo che c'era la serata di flamenco, mi sarei preparato.»

«Non è flamenco, è samba. E quando te lo dicevo, Jack?»

«In effetti...»

«...»

«Non vorrei disturbarti troppo ora che stai lavorando... ma se dopo vuoi intrattenerti con quella bella ragazza, io sparisco e magari ci parliamo domattina.»

«Jack, quella ragazza è Regina.»

«Cazzo, Regina!»

Perse per un attimo il contegno, e questo alleggerì l'atmosfera. Le parolacce, sulla bocca di chi non le dice mai, acquistano poesia.

«Lei. La stronza.»

«Be', però stasera è qui. Ed è qui per te.»

«È venuta a vedere l'animale al circo. O forse vuole vendicarsi del tipo con cui sta e allora cerca due moine. Ma stasera non ci casco, Giacomo. Non mi lasciare solo.»

Era la prima volta che lo chiamava col suo vero nome.
«Stai tranquillo. Anch'io sono qui per te.»
«Vieni, fatti abbracciare.»
E lo abbracciò. Giacomo rimase un attimo rigido, poi si lasciò andare. Il passato non gli faceva più paura, e neanche il futuro. La realtà stava uscendo allo scoperto ed era un'esperienza terribile e struggente.
Il più emozionato dei due, per dirla tutta, era Rafael. Dietro il suo aspetto estroverso e radioso si nascondevano lo spettro della solitudine e il peso di aver mollato il calcio. Ogni tanto si svegliava di notte, ritrovandosi nelle posture più improbabili, convinto di aver deviato la palla sopra la traversa. Era il suo sogno ricorrente, più di quanto sognasse Regina.
In quei momenti gli saliva un misto di malinconia e invidia, che aumentava quando venivano l'inverno e la nostalgia del suo Paese. Aveva tagliato i ponti con tutti gli ex compagni di squadra, anche se su internet aveva scoperto che alcuni ce l'avevano fatta. Eduardo Primera era addirittura terzino nel São Paulo, e pensare che non era neanche il più bravo!
Rafael si liberò da quell'abbraccio e provò a muovere ancora il polso malato. "Se anche non diventerai un grande calciatore, diventerai un grande uomo" gli ripeteva Armando. Di fronte a Giacomo, aveva risentito quella voce.
«C'è qualche bar aperto, qui vicino, dove possiamo fare due chiacchiere dopo?»
«Giacomo, ma lo vedi dove siamo? Il Tonga Bar è l'unica botta di vita in zona... ci beviamo una birra a casa mia.»
«Ma non vorrei...»
«E ti fermi a dormire da me. Fidati, avrai la stanza di Zazinho che è bellissima.»
«Ma come fai con Regina?»
«Da quello che vedo, non credo che le interessi più di tanto stare con me.»

In un battibaleno, Regina era tornata a impersonare Carmelinda Dos Santos di *Páginas da Vida*. Dopo la sua apparizione, le ballerine non avevano capito più niente: era tutta una foto, un balletto, un abbraccio, una domanda: "Miguel e Sandra torneranno insieme?", "Gilberto la pianterà di far soffrire Emilia?", "Il marito di Cristina è ancora alcolizzato?", ma soprattutto: "Perché sei morta?".

Attorniata come una superstar, lei non solo era stata al gioco, ma si era sentita di nuovo protagonista, come aveva sempre desiderato. La schiavitù del personaggio forse era finita, ed era giunto il momento di tornare su Rede Globo. Lasciò il locale in compagnia del corpo di ballo – era lei la *rainha do Carnaval* – mimando a Rafael un gesto di saluto, prigioniera delle sue debolezze. Poi il manager delle ragazze non era niente male, e invece quella specie di fidanzato dietro al bancone sembrava più interessato a parlare con un vecchio che a prestarle attenzione. Quando Giacomo la salutò con la mano, lo fulminò con lo sguardo, senza un vero motivo, e lui non seppe che fare. Prima di uscire, dovette sorbirsi anche le lacrime di Tamara alla cassa: gli raccontò che Pino l'aveva appena chiamata. Ma stava cercando un'altra Tamara. E lei non si dava pace, con quegli occhi piccoli come le sopracciglia. Lui pensò che non era serata per nessuno, e questo lo sollevò.

Al momento di salire sulla macchina di Rafael, gli tornò addirittura il sorriso. S'immaginò alcuni dei suoi clienti, soprattutto quelli del Ritz. Chissà cosa avrebbero pensato se avessero visto il loro concierge in quella Panda scalcagnata, con due bloster a bloccare lo sterzo – per rubare cosa? – e un finestrino fermo a metà da cui entrava aria gelida. Ma i Green Day di *Basket Case* rendevano l'atmosfera tremendamente vacanziera.

Arrivarono ai piedi di un palazzo grigio e sfatto, il

portone consumato dalle troppe mani di vernice. Anziché salire con l'ascensore, scesero nel sottoscala. Sul campanello, scritto a penna, un adesivo indicava RAFAEL E ZAZINHO con tanto di punto esclamativo, come se fosse l'appartamento di due sedicenni.

La casa era di una tristezza desolante. Al posto delle finestre c'erano due piccole grate che rendevano il tinello simile a una celletta. Per il resto, un televisore piccolo con il baffo, un divano sfondato, un poster della spiaggia di Copacabana e un vecchio frigo Indesit con l'elenco delle cose da comprare: fagioli, tonno, caffè, rum e preservativi.

«Allora, ti piace Jack?»

«È molto...»

«Molto?»

«... accogliente.»

«Vero? Dovevi vedere che schifo quando vivevo in cantina... qui è decisamente meglio. Aspetta che ti porto nella tua camera.»

«Ah già... che dormo qui.» Giacomo aveva ormai deciso di farsi trasportare dagli eventi. Non gli importava neanche di aver lasciato il suo bagaglio in una junior suite a dieci chilometri di distanza da quel seminterrato.

Attaccata al tinello, c'era la presunta camera sua. Un materasso buttato a terra di fianco a una montagna di maglioni e magliette che Rafael cercò di sistemare meglio che poté, senza alcun imbarazzo. Anzi, si mise a rovistare nell'armadio di Zazinho per cercare un asciugamano pulito. Ne trovò solo uno da bidè.

«Ecco la tua salvietta, è un po' piccola ma io e Zazinho non siamo ancora andati a fare il bucato. Questo qui invece è il bagno: per avere l'acqua calda della vasca devi tenere premuta la manopola altrimenti viene fredda... e stai attento che non inizi a perdere il lavandino perché così si allaga tutto. Se ti serve la crema idratante, è lì. Ti lascio anche una maglietta che fa da pigiama, tanto hai il piumone!»

«Ma tu dove dormi?»
«Di là. Io sto sul divano letto.»
«Il tinello è la tua camera?»
«Così pago meno di affitto, tanto io sto comodo lo stesso. E stai tranquillo per il bagno: se si allaga lo asciughiamo.»

Non era tranquillo per niente, Giacomo, ma pensò a quanto doveva aver sofferto Rafael, se definiva quel posto una casa accogliente. Forse però a ventiquattro anni si è ancora in grado di vedere il bello dappertutto.

Si sedettero sul divano sfondato, e Rafael sistemò una sedia davanti all'amico in modo che potesse distendere le gambe. Le distese, e senza neanche troppe insistenze si sfilò le Church's.

Davanti a una birra del discount ritrovarono il gusto delle confidenze. Nessuno dei due, in fondo, aveva qualcuno con cui parlare. Rafael ci aveva provato con il suo coinquilino, a dirgli di Regina, ma era stato preso in giro per una settimana – "quella telenovela è inguardabile" – così si era chiuso a riccio. Giacomo non ci aveva nemmeno provato, ad accennare di Elena. A nessuno. E non se n'era pentito.

Fu solo Rafael ad aprirsi, a raccontare gli ultimi episodi di questa storia che lo accompagnava dal Brasile. Un'ossessione che non aveva senso, ma cui non sapeva rinunciare. E ora, dopo aver visto Regina andare via con il manager e le ballerine, immediato saliva il rimpianto per non averle dato abbastanza attenzione, il desiderio di chiamarla, anche se lei sicuramente non avrebbe risposto perché impegnata a fare altro.

«Meno male che erano i maschi a voler scopare e basta. Le donne sono sempre più uguali a noi.»
«...»
«Jack, sei muto?»
«No... è che non so cosa dire. Gli esseri umani sono così instabili.»

«Instabili?»

«Sì, non sanno mai quello che vogliono, soprattutto quando sono innamorati. Non vogliono essere troppo amati perché poi si stufano. Vogliono soffrire un po' perché altrimenti è troppo facile. Disdegnano la serenità perché cercano la passione. Ma la passione brucia tutto e, prima o poi, si spegne.»

«E come fai a sapere tutte queste cose?»

«Leggo, cosa credi?»

«Anch'io leggo. La "Gazzetta". Così miglioro l'italiano.»

Giacomo scoppiò a ridere, perché si rese conto che forse non era il momento per affrontare certi discorsi: erano quasi le quattro di mattina. Avrebbe voluto abbracciarlo di nuovo, dirgli che gli voleva bene, ma non ci riuscì. Temeva di essere frainteso, e voleva evitarlo, perché più passava il tempo più aveva la sensazione che Rafael avesse capito tutto del suo passato. Ci sono confessioni che arrivano senza il bisogno di essere pronunciate, altrimenti non ci si spiega come mai le madri sappiano sempre tutto.

«Vedi, Jack, Regina per me non è sesso, è amore. Amore con la "A" maiuscola.»

«E come fai a distinguere le due cose?»

«Lo senti dal cuscino.»

«Dal cuscino?»

«Sì. Se quando lei non è più nel letto tu ti metti ad annusare il cuscino, e per un po' stai meglio, ecco, quello è l'amore. La tua amica invece aveva un odore che mi nauseava, me ne sono dovuto andare mentre dormiva... ma non penso se la sia presa.»

«Quale amica?»

«Frida... la *puta*.»

In una battuta, aveva avuto la risposta per cui era andato fino a Milano. Ma voleva fare ancora un tentativo per fugare ogni dubbio.

«Quindi non ti piace.»

«Non è che non mi piace, è una bellissima ragazza. Però non è Regina, anche se stasera sono stato maleducato con lei, non le ho fatto neppure un complimento.»

«...»

«E poi non mi piacciono i suoi piedi.»

«E cos'hanno i piedi di Frida che non vanno?»

«I piedi sono fondamentali. Se una ragazza ha i piedi che non mi piacciono io non ce la faccio proprio a frequentarla, è più forte di me.»

Cercò di immaginare tutte le volte che aveva visto Frida nuda, ma non ricordava nulla di particolare riguardo ai piedi. Anche l'odore, quel misto di ambra e muschio bianco a lui piaceva da pazzi. "Certo che i giovani sono proprio strani" rifletteva Giacomo, "quanti problemi. E l'odore sul cuscino. E i piedi. Ci credo che poi vi ritrovate a prendere le farfalle con le mani." Non glielo disse, però. Era più importante riformulare la domanda. Non si sarebbe voluto mettere nella situazione di non sapere cosa rispondere quando Frida gli avesse per l'ennesima volta chiesto: "Gliel'hai detto?".

Per cui prese coraggio e confessò.

Rafael scoppiò in una risata talmente fragorosa che lui ci rimase male. Per lo meno la risposta sembrava inequivocabile: non era interessato. Le parole aggiuntive furono però faticose da sentire, perché andarono a scomodare epiteti che non avrebbe mai voluto ascoltare. Ma fece appello alle sue ultime forze per passare oltre. Erano le cinque, e gli occhi gli si stavano per chiudere.

D'improvviso sentì qualcosa che gli scricchiolava nella tasca e lo tirò fuori: due fogli ben piegati, un po' rovinati dalla postura innaturale che aveva assunto.

«Cosa sono? Debiti?»

«Ma no... solo dei pensieri che ho scritto per te. Cosa credi, che solo tu puoi scrivere su di me?»

«Che figata, l'hai fatto!!! Voglio leggere subito.»

«No, ti prego, Rafael. Sarei molto imbarazzato. Te li lascio domani prima di ripartire.»

«No, lasciameli ora. Però li leggo domani.»

«Me lo prometti?»

«Te lo prometto.»

Gli allungò i fogli con qualche riluttanza – e mentre glieli passava i suoi occhi chiedevano: "Hai capito anche di Salvo?" – e Rafael fu molto abile nel piegare subito quelle parole sotto un portafoto che incorniciava nonna Esperança. Si diedero la buonanotte e ognuno si rifugiò nel proprio accampamento.

Non appena chiuse la porta, Rafael cominciò a leggere.

Ogni cosa andrebbe vissuta almeno due volte. Come i libri che rileggiamo, o i film di cui recitiamo le battute a memoria. È un peccato non rivedere la faccia del tuo migliore amico la prima volta che l'hai incontrato. Quando gli hai detto "piacere" senza sapere ancora il suo nome. Senza immaginare che una sera avrebbe capito tutto di te e un'altra, subito dopo, ti avrebbe deluso. Ma la faccia di Rafael me la ricordo bene, la prima volta che gli ho stretto la mano. Un sole che ride, ecco cosa ricordo. Ma forse il sole è troppo banale per un ragazzo che viene dal Brasile. Rafael è una Coca-Cola ghiacciata. Frizzante, dolce, e a volte amarognola. Quel sapore che ti illude che sia una bevanda dissetante. Invece il suo segreto è che ti lascia sempre il desiderio di berne ancora un po'. E anche lui è così. Quando lo ascolti, quando lo vedi, ti rimane addosso la voglia di starci insieme... "con tutte quelle bollicine", come dice un cantante romagnolo.

Non so se questo paragone rende giustizia a una delle persone più belle che abbia mai incontrato. Una delle poche che è riuscita a farmi dimenticare di essere un concierge.

Vorrei tanto essere come te, Rafael. Avere il tuo coraggio e la tua spensieratezza, ma questo è il massimo che riesco a fare. So che meriti parole migliori, ma di più non mi viene. Cerca di capire, sono in una stanza d'albergo non mia... sono proprio contento di rivederti, e spero che avrai già perdonato la mia scenata dell'ultima volta. Ma io credo di sì.

Io non ho nessun amico speciale come il tuo Armando, ma ciò non toglie che anche per me tu sei speciale. Tanto.

Giacomo

25

«Che cavolo ci fai lì?»
«Chi è? CHI È?»
«NO, TU CHI SEI!»
«AIUTO!»
«Shhh... che Lele si sveglia. Devi essere un suo amico, vero?»
«Io sono amico di Rafael.»
«Appunto, di Lele! Ciao sono Zazinho... ogni volta che dormo dalla tipa lui mi porta sempre qualcuno in camera, ma si può?»
Giacomo balzò dal letto più imbarazzato che mai. La bocca impastata, i capelli fuori posto, una T-shirt che dice: ME GUSTA LA CHICA.
«Quella maglietta è mia! Poi lasciamela sul letto.»
«Sono mortificato.»
«Ti prego, niente cerimonie che altrimenti faccio tardi al lavoro. Scusa ma mi devo cambiare...»
Avrebbe voluto svegliare Rafael solo per ucciderlo. Era in una stanza non sua, davanti a un ragazzo in mutande che cercava una camicia pulita in mezzo a una montagna di roba, annusando ogni indumento. Prendeva e ributtava tutto nel mucchio come se fosse a un banco al mercato. Finalmente si fermò su una camicia bianca con bottoni neri.

«Il papillon me lo metto al bar perché qui lo perdo. Che ne dici, bello? Sono un figo o no?»
«Direi che va bene.»
«Per caso hai della crema per il corpo? Quella di Lele mi lascia la pelle troppo unta.»
«Mi spiace, no.»
«Vedrò di resistere fino a stasera, allora. Quando si sveglia il casinaro, picchialo da parte mia. E digli che gli prendo la macchina perché il mio scooter ha poca benzina.»
«Sarà fatto.»

Più che brasiliano, Zazinho sembrava il classico milanesotto perfettamente integrato. Sparì dando una pacca a un Giacomo ancora impietrito. Non poteva alzarsi per non svegliare Rafael, ma non aveva più sonno. Rimase tre ore con gli occhi al soffitto cercando prima di contare all'infinito, poi di ripetere i nomi delle stanze dell'Abadessa. Provò perfino a indovinare gli ultimi dieci conduttori di *Domenica In*, ma gli vennero in mente solo Pippo Baudo, Mara Venier e Giletti Massimo. Verso le undici, finalmente, Rafael piombò in camera urlando: «SVEGLIA!». Era la classica persona che apre gli occhi ed è pronta a parlare subito, senza il bisogno di quella mezz'ora in cui si pensa che la vita è uno schifo e tutti ce l'hanno con te.
Pur essendo su tutte le furie, Giacomo cercò di trattenersi: in fondo era ospite e le regole non le poteva dettare lui. Mentre gli parlava, il suo amico cominciò a togliersi pigiama e felpa – sì, dormiva con la felpa – e rimase in mutande, come se fossero sempre stati fratelli.
«Ti spiace se mi butto subito in doccia? Così poi preparo la colazione. *Cafezinho* o caffelatte?»
«*Cafezinho.* Ma potremmo anche andare al bar.»
«Non c'è bar che possa competere con la mia colazione!»
Rafael si chiuse in bagno e cominciò a cantare

Exagerado di Ney Matogrosso, mentre il suo ospite, in palla, si tolse la maglietta prestata, l'annusò e mise piede nel tinello. Il divano letto era aperto e la stanza impraticabile. Dalla finestra della celletta arrivava un timido raggio di sole. Per un istante, gli parve di essere in campeggio. Ingannò l'attesa studiando come asciugarsi con la salvietta da bidè, mentre Rafael provò a urlare dal bagno se avesse con sé del balsamo per capelli.

Fecero colazione seduti su due sedie scompagnate. Sul tavolo, una caffettiera, due tazze di caffè e una confezione di Bucaneve, una delle ragioni per cui Rafael non avrebbe mai lasciato l'Italia. Ne mangiava sette ogni mattina, non uno di più, perché era la quantità esatta di biscotti che gli dava sua nonna.

«Allora, cosa vuoi fare oggi di bello?»

«Nulla, Rafael. Devo tornare a Venezia, e dovrei prima passare in hotel per riprendere la borsa. Il mio amico si sarà preoccupato non vedendomi comparire stamattina.»

«Perché non l'hai avvisato?»

«Avevo paura di svegliarti.»

Nel sorriso di Rafael brillò un molare d'oro.

«Allora ci facciamo un giro per Milano e poi ti accompagno in albergo.»

«In realtà la tua macchina l'ha presa Zazinho... ha detto che nello scooter c'era poca benzina.»

«In scooter va ancora meglio! Così siamo più liberi.»

«Ma... veramente...»

«Smettila, Jack, che mi sembri un vecchio. Hai solo cinquant'anni!»

«Guarda che ne ho quarantotto, ragazzino. Portami rispetto. E soprattutto riportami in albergo perché devo rientrare a Venezia il prima possibile.»

«Ok capo!!! Così ti voglio. Sarà meglio che ti prendo il piumino di Zazinho perché altrimenti muori di freddo.»

Ormai Giacomo viveva tutto come se stesse partecipando a un reality, anche se aveva visto solo una volta una puntata della *Fattoria*.

Si abbandonò al suo destino su uno scooter truccato, in gessato e piumino rosso, con un casco che doveva tenere con la mano altrimenti volava via. Pensò che gli sarebbe piaciuto morire così, spazzato dal vento. Qualche volta si era immaginato il suo funerale, e si era sempre depresso. Non tanto per la morte in sé, di cui non gli interessava granché, ma perché pensava che non ci sarebbe andato nessuno, a parte la signora Silvana. Quindi meglio non morire, no? Si aggrappò forte a Rafael.

Dopo un paio di chilometri si ritrovò a spingere lo scooter fino al distributore, perché ovviamente era finita la benzina. Come se non bastasse, dovette pagare il pieno perché al suo amico erano rimasti in tasca solo cinque euro. Ma gli piaceva essere lo zio che non era mai stato, quello che ti dà la mancia di nascosto e per i diciotto anni ti compra l'orologio. In realtà, quello che più gli piaceva era ritrovare la complicità che aveva avuto solo con Salvo.

Arrivarono al Park Hyatt che era quasi la una, come si dice a Milano.

Il direttore si trovava proprio davanti all'ingresso, a salutare una limousine, quando vide il suo compagno di collegio in sella a uno scooter arrugginito. Era però anche lui abilissimo nel contenere le emozioni, per cui fece finta di nulla, anche se gli scappava da ridere a osservare Giacomo conciato in quel modo. Ma i clienti a cinque stelle amano le stravaganze, per cui nessuno ci avrebbe fatto caso in hotel.

Li fece accomodare nella hall e ordinò tre aperitivi. Rafael si guardava intorno nascosto dai suoi Ray-Ban – sono originali, precisava – come se non avesse mai visto nulla di simile. Scrutava i clienti dalla testa ai piedi senza imbarazzo, e scoppiò pure a ridere davanti a uno sceicco inamidato. Venne ripreso con una gomitata.

Malgrado il timore di imbarazzi, il direttore li invitò a fermarsi per pranzo. Giacomo accettò soprattutto per fare una sorpresa a Rafael – altro che Bucaneve – che infatti sbranò tutto, dall'assaggio di crudités ai biscottini finali, passando per il riso al salto. Il direttore li guardava da lontano e rideva sotto i baffi. Non appena il brasileiro si allontanò per andare in bagno, si avvicinò furtivo al tavolo.

«Potevi anche dirmelo, Giacomo. Ci conosciamo da tutti questi anni...»

«Dirti cosa?»

«Be', l'hai capito.»

Mostrò il posto vuoto di Rafael.

«Qui abbiamo moltissimi clienti gay. La policy quando arrivano due ragazzi è offrire loro una stanza matrimoniale. Se vogliono i letti separati devono dirlo.»

«Siamo solo amici.»

«Puoi raccontarlo a tutti, ma non a me.»

«???»

«E poi non hai nemmeno avuto il coraggio di invitarlo qui, e io che ti avevo lasciato una suite... l'ho capito subito che avevi una storia per le mani.»

L'arrivo di Rafael interruppe la discussione che non fu più ripresa, perché il direttore venne fagocitato da alcuni dipendenti alle prese con un magnate cinese. Salutò di corsa e sparì.

Ricomparve come per magia nella hall, ed ebbe la fortuna di ascoltare Rafael che sussurrava: «Anche se io preferisco la Pepsi, la tua lettera era bellissima». La trovò una frase così romantica, che andò via in punta di piedi facendo finta di niente.

I due trascorsero il resto del pomeriggio scorrazzando un po' per il centro, insultati dagli altri conducenti. Si fermarono in un bar vicino al Castello Sforzesco pieno di modelli brasiliani, e bevvero un paio di caipiroske.

Appena il sole calò, Giacomo si rese conto che non

poteva arrivare a Venezia troppo tardi e chiese di essere accompagnato in stazione. Era un po' comico con il suo borsone legato dietro, le Church's a sfiorare la marmitta truccata. Ma era sereno come non lo era da anni. Anzi, era felice.

Si salutarono senza troppe smancerie, scambiandosi in fretta il numero di cellulare. Per un attimo, Giacomo fu tentato di memorizzarlo come "Lele". Quando alzò la testa, trovò il telefonino di Rafael a un palmo dal suo naso. «Sorridi» gli disse, «così quando mi chiami vedrò sempre la tua faccia.» Per la prima volta ci provò, e ci riuscì.

Appena salito sul treno, fece su e giù per i vagoni un paio di volte, come un controllore. Gli sarebbe piaciuto incontrare Salvo ed Elena, seduti insieme, e metterli a confronto. Fare una chiacchierata con loro sul senso delle cose, su quanto ci piace complicarci l'esistenza perché diamo troppa importanza agli altri. Che poi agli altri, di noi, importa assai meno di quanto pensiamo.

Ma non incontrò né loro, né nessuno che gli assomigliasse. Come Rafael, voleva anche lui la telenovela. Invece fu il telefonino a riportarlo alla realtà.

«Sì, pronto, Romeo?»

«Ne hai ancora per molto?»

«In che senso?»

«La lezione di oggi. In genere arrivi quindici minuti prima, com'è che non sei ancora qui?»

«Io... veramente...»

«...»

«Ho avuto... un contrattempo. Sto tornando da Milano. Scusa ma non ce l'ho fatta ad avvisarti.»

«Non è che vuoi già abbandonare il nostro percorso?»

«No, no. Anzi.»

«Allora riesci a venire stasera, anche tardi?»

«Stasera anche tardi va benissimo. Anzi, meglio.»

«Allora ti aspetto alle nove e mezzo.»

«Grazie di cuore, Romeo.»

Dopo una notte quasi insonne, una scorrazzata per Milano in scooter, una multa dei vigili, un'insinuazione di omosessualità e una passeggiata su e giù per il treno, Giacomo trovò la forza di andare in palestra.

26

Festeggiare vent'anni di matrimonio può diventare assai impegnativo, se lo si vuole. Ed Elena lo voleva. Da giorni non faceva che parlarne in negozio con commesso e clienti, felici di elargire consigli nella speranza di avere uno sconto, che poi avrebbero fatto finta di non volere. Gli oggetti di Murano erano spariti in pochissimo tempo. Una lampada, in realtà, l'aveva fatta sparire lei. Voleva un ricordo della sua follia.

Di Giacomo aveva parlato solo con il commesso, che aveva ascoltato paziente e stupito. Da giovane e sognatore quale era, faceva il tifo per il concierge. Immaginare la signora che di punto in bianco va a Venezia a copulare con un portiere d'albergo gli faceva tenerezza. Ma vederla arrovellarsi sui festeggiamenti – cena *placée* o festa in piedi? – senza rendersi conto che la crisi del suo matrimonio era stata solo rimossa lo faceva dubitare della sua intelligenza. Ciò che più turbava Elena, in realtà, era la mancata confessione in chiesa, ma il commesso fu abile nel risponderle che la misericordia di Dio è grande, e quindi l'avrebbe perdonata quando sarebbe stata pronta.

"Non guardare più e lo dimenticherai" si ripeteva citando un libro di Carofiglio, peccato che la citazione fosse sbagliata. "E poi ricordati che è della Vergine, e gli uomini della Vergine sono tutti un po' matti" aggiungeva per convincersi.

Quello che però le dava forza era il numero venti. Vent'anni insieme erano quasi un record. Aveva fatto bene a sposarsi giovane: così aveva potuto godersi la vita – tutti i weekend ad Alassio o Sestrière – prima che le venisse l'ansia di mettere al mondo qualcuno cui lasciare tutti quei soldi.

Ci erano voluti un po' di anni e molti tentativi per fare centro. Ma dopo cure ormonali, provette e fecondazioni erano nate due splendide bambine. Le pupe. Una del Leone e l'altra del Capricorno. Il termine "splendido", per quanto riguarda i bambini, è tanto meno credibile quanto più si avvicina a nonni, genitori, fratelli e parenti tutti.

In realtà le pupe apparivano splendide anche agli occhi dei passanti e delle tate, che erano costrette a odiarle per le angosce di Elena: non potevano abbracciarle, né sgridarle, né giocare con loro. Alla signora faceva paura soprattutto la ragazza svedese, Ariete ascendente Ariete, quindi incline alla collera, ma l'aveva scoperto solo dopo averla assunta. «Tanto valeva che se le guardasse lei» bisbigliavano le due. Non avrebbero mai immaginato che per Elena avere una coppia di tate era solo un simbolo di status da esibire alle amiche.

«Quindi secondo te è troppo formale una cena al Cambio?»

«Secondo me sì... ci andava Camillo Benso di Cavour!!! Fate vent'anni di matrimonio, non le nozze di diamante!»

«Ma all'ingegnere il vitel tonné piace solo come lo fanno lì.»

«Il vitello tonnato non mi sembra una priorità.»

Anche Elena chiamava suo marito "l'ingegnere", come se fosse una della servitù. Guardò il suo commesso con occhi accomodanti. Era l'unica persona con cui poteva parlare e da cui accettava critiche. Per il resto, non aveva vere amiche. Ne aveva sofferto solo la prima volta che aveva visto *Thelma & Louise*, film che riguardava ogni volta che si sentiva giù. Ma ne esistevano davvero di ragazze così?

«Quindi cosa mi consigli? Chiamo Stratta e faccio un catering a casa? Magari con qualcuno che suona le canzoni di Natale...»

«Magari anche no. Vi siete appena riconciliati, quindi non sarebbe meglio una cosa intima?»

«Dici qualcosa di erotico?»

«Intendevo solo per voi due... un weekend a Parigi, che ne so...»

«Ma è un'idea splendida! E so anche dove portarlo: in Slovenia. A fare un po' di inalazioni sulfuree... gli piacerebbe tanto.»

Il commesso desistette. Abbozzò un assenso solo perché aveva degli oggetti da inventariare, anche se la questione non era ancora chiusa. Elena aveva un altro problema urgente da risolvere: il regalo. Sì, perché i coniugi Barsanti erano soliti festeggiare il loro anniversario in questo modo: ogni anno, il 9 dicembre, si ritrovavano alle cinque in punto – l'ora del tè – al Bicerin di piazza della Consolata. Seduti in quel caffè, ordinavano una cioccolata calda come al loro primo appuntamento.

Per quanto riguarda i pensierini, lui passava da Fasano a comprarle un gioiello, lei andava da Jack Emerson e gli prendeva un maglione. Vent'anni a regalarsi diamanti e cachemire. S'incontravano senza nemmeno telefonarsi, per ricordare i bei tempi in cui non esistevano i cellulari e la gente si trovava lo stesso. In fondo, un po' romantici lo erano per davvero.

Mancavano poche ore all'appuntamento ed Elena, per la prima volta, non aveva ancora deciso il colore della maglia. Chiese al suo commesso di chiamare il negozio per avere qualche rassicurazione sulla taglia, e soprattutto per evitare la coda degli acquisti natalizi. La tranquillizzarono mettendole da parte tre opzioni. Lei sarebbe passata verso le quattro, avrebbe scelto e si sarebbe presentata all'appuntamento. Il commesso interruppe però i suoi piani con un'illuminazione.

«E se per una volta, dato che è un'occasione così speciale, lei gli regalasse qualcosa di diverso? Che ne so, un cappello?»

«Lui non porta cappelli.»

«Era per fare un esempio.»

«Ti ringrazio, ma se siamo sopravvissuti insieme tutti questi anni è perché abbiamo sempre rispettato le nostre tradizioni. Quindi, mi spiace, ma resto fedele al cachemire.»

"Che coraggio" pensava il commesso, urtato da quel tono moralistico. "Ti sei appena scopata un portiere d'albergo, e adesso fai quella fedele alle tradizioni." Ma non era nella posizione di poter ribattere, anche perché ci sono persone che hanno bisogno di essere convinte che stia andando *sempre* tutto bene, anche quando non va bene per niente. Per cui le allargò un sorriso e le fece tanti auguri di buon anniversario, chiedendole se sarebbe ripassata in negozio, dopo la cioccolata.

«Credo proprio di sì. Non voglio lasciarti solo in questi giorni di regali e caos.»

«Allora a dopo, signora.»

«A dopo.»

Le piaceva da matti quando il commesso la chiamava "signora", e lui lo faceva proprio per questo.

Dopo una ripassata allo specchio, Elena uscì sui suoi tacchetti per quel pomeriggio impegnativo: prima il negozio con l'apocalittica decisione della maglia; poi la cioccolata d'amore; infine l'agenzia dove avrebbe trovato la sorpresa per la Slovenia.

La prima tappa fu molto rapida anche perché conoscevano alla perfezione i gusti dell'ingegnere, per cui andarono su uno scollo a "V" blu, perché "per i vent'anni ci vuole un classico". Si fece fare la confezione e si avviò verso il Bicerin, godendosi l'aria fredda del pomeriggio. Vent'anni, erano passati vent'anni. E le sembrava ancora ieri. Lui in grigio con cravatta rossa. Lei di bianco col cappello. Alla Gran Madre, ovviamente, la chiesa bene della zona bene.

Delle nozze in realtà aveva un ricordo un po' traumatico, perché la sera prima aveva cenato a ostriche e champagne e durante il pranzo era dovuta correre più volte in bagno, ma tutti avevano pensato fosse legato all'emozione.

Era ancora assorta nei suoi pensieri quando incontrò la signora Dalmasso, una delle sue clienti migliori: Leone ascendente Leone, mano bucata per antonomasia.

«Signora, come sta?»

«Bene, e lei? Stavo giusto per passare in negozio in questi giorni... devo ancora fare tutti i regali.»

«Non lo dica a me.»

«Posso offrirle un caffè qui al Bicerin?»

«Accetterei volentieri ma ho appuntamento con mio marito. Oggi facciamo vent'anni di matrimonio.»

Non vedeva l'ora di dirglielo.

«Lei è ancora così giovane, complimenti. Allora mi saluti tanto l'ingegnere.»

Elena sorrise affabile ed entrò, felice di avere una testimone mentre tagliava il traguardo: *Welcome Back to America*.

Era cliente fissa anche lì, per cui le liberarono rapidamente uno dei pochi tavolini. Guardò l'ora: le cinque meno dieci. Come al solito, era arrivata in anticipo. Tolse il regalo dal sacchetto e lo appoggiò sul tavolo. Le madamine intorno la osservavano senza cambiare espressione, ognuna concentrata nella propria piccola conversazione.

La cameriera portò un menu che Elena conosceva a memoria, ma lo prese soltanto per avere qualcosa da leggere. Era tentata di ordinare toast al cioccolato, ma pensò che la tradizione doveva essere rispettata fino in fondo. Mentre i minuti scorrevano pesanti, il locale cominciò a riempirsi di clienti in attesa di un posto libero. La cameriera, come se fosse in una pizzeria al mare, annotava i nomi e li chiamava all'occorrenza. Attese fino alle cinque e mezzo prima di avvicinarsi a Elena, che era sempre più nervosa.

«Signora, i clienti fuori iniziano a protestare... non vuole cominciare a ordinare qualcosa da bere?»

«Mi scusi, ma è proprio una tradizione. Credo che sia davvero questione di pochi minuti... mio marito starà cercando parcheggio.»

«Come non detto, *alura. Che stia pure setà.*»

Quando c'era di mezzo l'ingegnere, tutte le persone diventavano più pazienti. Quel giorno però fu Elena a perdere il controllo. Attese fino alle sei, prima di cedere.

Staccato. Il cellulare era staccato. Telefonò in ufficio, ma nessuno sapeva dove fosse, forse in cantiere. Elena cominciò a preoccuparsi, chiamando prima casa e poi i suoceri, riuscendo fortunatamente a non allarmarli. Poco dopo il suo iPhone suonò.

«Mi hai cercato, cara?»

«DOVE SEI?»

«In cantiere.»

«A quest'ora?»

«Ehm... sono venuto a fare dei controlli. E tu, sei in negozio?»

Alle parole isteriche e imbarazzanti di Elena, seguì un semplice: «Arrivo». L'ingegnere salutò frettolosamente la sua Irina occasionale e si precipitò, sfidando il traffico, in piazza della Consolata. Arrivò sudato e senza regalo.

Provarono a fare finta di niente e ordinare una cioccolata calda. Alle sette meno un quarto. Lui apprezzò il maglione di cachemire, lei non poté apprezzare nessun diamante.

Quando uscirono, non sapevano cosa dirsi, troppo condizionati dall'etichetta per concedersi almeno il lusso di una litigata. Per fortuna il loro silenzio venne interrotto dalla signora Dalmasso che era scesa col cane.

«Siete ancora qui?»

27

Le persone sovrappeso hanno una dolcezza speciale e una pazienza infinita. Lo vedo dalle loro facce durante l'attesa per avere la ricevuta o la chiave. Probabilmente perché essere grasso ti abitua a essere saggio, a controllare con più attenzione i movimenti, le calorie che ingurgiti, o gli sguardi di chi ti giudica per come sei. E non è un caso che la buona forchetta sia spesso bravissima a ballare, perché il suo modo di camminare è già una danza, dovendo spostare ogni volta tutto l'ambaradan. La signora Ciliento incarna proprio quella tipologia di persona. È arrivata poco fa e la sua camera non era ancora pronta, pur avendoci avvisati dell'orario: ma non si è scomposta per niente, a differenza del classico turista che va in crisi se il suo piano non viene rispettato. Lei mi guardava sorniona, dal basso delle sue scarpe comode, ma alla fine quella calma ha contagiato anche me. Così ho pensato che fosse meglio spostarla nell'unica stanza che abbiamo al piano terra. È un po' piccola ma si affaccia sul canale, e sembra di dormire in una gondola. Quando l'ho accompagnata, mi ha guardato come se avesse capito tutto senza bisogno di spiegazioni. E prima di uscire mi ha chiesto se a Venezia c'è qualche balera.

Giacomo aveva ripreso confidenza con il quaderno, anche se stava cercando di perdere tempo perché non aveva il coraggio di chiamare Frida.

Non sapeva come dirglielo. Avrebbe voluto incontrarla, più che telefonarle, perché la voce tradisce la verità, e Frida sarebbe stata troppo impaziente di sapere com'era andata. Ma non aveva scelta.

Nel dubbio, aveva chiesto consiglio a Romeo, il suo personal trainer, che tra una panca e un tricipite si era avventurato in una soluzione: «Portala in palestra... *che ghe penso mi a farghe far "l'allenamento"*». In quel momento, Giacomo comprese il significato dell'espressione: "Mai avere troppe aspettative dalle persone".

Attese la fine della mattinata per comporre il numero che faceva di solito quando era in stato di profonda eccitazione. Frida rispose con un tono che Giacomo non aveva mai sentito.

«Giacomooo, sei proprio tu?»

«Sì, sono io. Come stai?»

«Allora? Hai saputo qualcosa?»

«...»

«...»

«L'ho incontrato a Milano. Ma mi piacerebbe parlarti di persona.»

«Vuoi venire a casa?»

«Che ne dici se ci vediamo a metà strada? Hai da fare?»

«No, ho solo un cliente verso le tre. Quindi se ci vediamo subito è meglio.»

«Va bene, allora.»

«Ma non mi puoi anticipare niente al telefono?»

Ci sono reticenze più chiare di una sentenza, ma Frida aveva ancora una speranza: "Vedrai che quella ragazza brasiliana era solo un fuoco di paglia; o si sarà spaventato per la velocità con cui mi sono concessa; o forse assomiglio troppo a Gesù e a lui fa impressione perché è devoto".

Guardandosi allo specchio, cercò di ricordarsi quando era stata l'ultima volta che si era sentita così. Le vennero in mente in ordine sparso un ragazzo di Padova e uno di Rovigo, che l'avevano tirata scema ai tempi dell'università. Ma da quando aveva lasciato gli studi per il lavoro aveva collezionato solo amanti occasionali, anche se una volta era durata tre mesi. Si chiamava Mario, e le aveva fatto passare giorni meravigliosi. Da allora però non aveva più avuto l'ambizione di una relazione stabile: la maggior parte dei suoi clienti erano sposati e, pur essendo benestanti, non le davano nessuna impressione di felicità. Sempre a lamentarsi della libertà ridotta, dei figli problematici, del calo del desiderio, della frustrazione del lavoro. E sapevano parlare solo di calcio.

Raccogliendosi i capelli, provò a gioire di quell'attesa che le dava ancora un'illusione, ma non ci riuscì. Sentì che nulla di buono si profilava all'orizzonte, e conosceva abbastanza Giacomo per sapere che non avrebbe mai voluto ferirla. Lui però non era neanche il tipo che si lascia andare all'euforia, soprattutto al telefono, quindi perché disperare? Di una cosa Frida aveva certezza: Giacomo era una brava persona. E aveva mantenuto la parola. Non riuscì più a immaginarselo sulla porta di casa sua accecato dalle voglie. Non riusciva più a vedere quella busta dentro cui piegava i cento euro.

Lo schermo della sua testa era bianco e, senza che lei se ne rendesse conto, stava per esservi proiettato un nuovo film. Così, ricordando la passeggiata dell'ultima volta, fece una sosta nel negozio di dischi vicino casa. La musica gli avrebbe fatto senz'altro piacere. Magari una compilation barocca o le sonate di Bach. Ci mise talmente tanto a scegliere che arrivò all'appuntamento con un quarto d'ora di ritardo.

Giacomo era già lì, anche lui con un pacchetto in mano. Ci mancavano i fiocchi di neve e *Jingle Bells*, e buon Natale a tutti.

Si salutarono con baci impacciati, i nasi che si scontrano, due persone che improvvisamente non sanno più trovare le giuste distanze. Come quando scopri che il capo se la fa con la collega e dal giorno dopo non riesci più a dirgli "buongiorno" in modo naturale.

«Questo è per te.»

«Non ci credo... anche io ho un regalo per te!»

Rimasero in piedi, davanti al supermercato delle Fondamente, con le loro scatolette. Un cd per lui, tanti cioccolatini per lei.

«Baci Perugina?»

«Non ti piacciono?»

«Ma scherzi? Da ragazzina impazzivo a leggere i bigliettini... anche se l'amore te lo sanno raccontare solo Shakespeare e Celentano.»

«Celentano Adriano?»

«Lui.»

Giacomo si rese conto che forse i Baci non erano i cioccolatini adatti all'occasione, ma gli piacevano soprattutto per la nocciola, e al bigliettino non aveva mai fatto caso.

Per allontanare la risposta che non voleva sentire – Rafael non ti vuole – Frida salì su uno scalino e iniziò a cantare i suoi versi preferiti:

«A mezzanotte sai che io ti penserò, ovunque tu sarai, sei mia...»

«"Sei mio" dovresti dire.»

«Non ti ci mettere anche tu. È un'altra cosa che odio: le interpreti che quando rifanno le canzoni devono cambiare il testo perché altrimenti tutti pensano che sei lesbica...»

«Hai ragione. Giù le mani dagli originali.»

Senza farsi notare, si guardò in giro per vedere se qualcuno li stesse osservando.

«Sai che ti vedo in forma?»

«Dici? È merito del personal trainer.»

«Hai un PT?»

«Sì... ci vado... tre volte a settimana... per tenermi in allenamento.»

«Allora vedi che anche tu sei innamorato?»

Arrossì e per un istante si distrasse pensando che l'acqua della laguna non era poi tanto fredda. Una volta aveva visto due tedeschi fare il bagno a febbraio e non li avevano nemmeno ricoverati.

«Ma cosa dici, Frida? È che gli anni passano e bisogna cominciare a fare sport.»

«Non hai una bella notizia da darmi, vero?»

«Cosa intendi?»

«Rafael...»

«...»

«Non gli interesso, di' la verità.»

Per un attimo nell'aria si sentì solo il rumore del vaporetto. I pochi turisti a bordo stavano per lo più zitti, imbronciati con quel cielo che avrebbero voluto più terso perché sarebbe venuto meglio in foto.

«Non vuoi sederti a bere uno spritz?»

«Prima mi devi raccontare che ti ha detto. Anche se lo so, altrimenti non mi avresti portato i cioccolatini. E soprattutto mi avresti già accennato qualcosa al telefono.»

«...»

«Che c'è, hai perso la parola?»

«No... ma hai già capito tutto. Non ho altro da aggiungere, mi spiace.»

«Almeno si ricordava di me?»

«Certo che si ricordava... solo che sta pensando a un'altra persona. Per questo era a Venezia. Mi ha chiesto di salutarti tanto.»

«Solo questo?»

«Solo questo.»

In realtà non gli aveva detto nemmeno quello, ma non gli sembrava il caso di infierire su una persona già abbattuta. Tutte le sicurezze di una ragazza che fa del corpo la propria armatura sembrarono improvvisamente sgretolarsi davanti a poche parole. Era finita di nuovo male, come con Mario. Ma stavolta non era nemmeno cominciata. Le salì un'improvvisa voglia di urlare che Giacomo fece finta di non notare.

«Ti vorrei aiutare, ma non so come.»

«Tu mi stai già aiutando, Giacomo. Sai, ogni volta che ricevo un cliente, anche se lo conosco bene, apro sempre la porta sperando che sia Rafael.»

«Anche se lo hai visto una volta sola?»

«Sì. A volte basta una volta. Quando fai la vita che faccio io devi fare in fretta a capire le cose, perché non hai mai molto tempo.»

«...»

«Ma adesso beviamoci sopra.»

Si sedettero fuori dal Giubagiò, malgrado le sedie umide, perché avevano voglia di stare lontano dagli altri, come se la discrezione veneziana non fosse sufficiente a tutelare i loro sentimenti. A occhi distratti, potevano sembrare due manager che caricano tutto sulla nota spese, anche il tramezzino al tonno che Giacomo si era preoccupato di ordinare senza carciofini, senza maionese, senza capperi. Perché così gli aveva detto il suo Romeo: "Tonno, tonno a gogò, ogni volta che puoi, le proteine te le devi sognare pure di notte".

«Non hai ancora aperto il mio regalo... cos'è, non ti piacciono i cd?»

«Ah, perché è un cd?»

«Non lo vedi dalla forma? Forse per questo la gente non li regala più.»

Lo scartò con una cura di altri tempi, e rimase sorpreso quando davanti a sé non ritrovò né Joni Mitchell né Nick Cave. C'era Madonna vestita da sposa.

«Pensi di ascoltarlo?»

«Solo se c'è la canzone che mi hai cantato l'altra volta.»

«*Like a Virgin*, certo che c'è. È la ragione per cui l'ho scelto. E poi era in offerta... io quando leggo *nice price* non capisco più niente.»

Scoppiarono a ridere, e finalmente lasciarono andare le loro schiene alle sedie, le gambe distese.
«Ma dimmi: come l'hai trovato?»
«Come l'hai trovato cosa?»
«Rafael...»
«...»
«Stava bene? Era ancora bello?»
Giacomo pensò che noi umani non cambieremo mai. Che continueremo a cercare verità scomode. Che ci piace sapere degli altri anche quando gli altri non ne vogliono sapere di noi. Perché parlare ci consola, ci permette di stare ancora un po' insieme al nostro sogno, all'illusione che nel racconto si possa trovare una crepa, uno spiraglio, un piccolo gancio cui aggrapparsi per tentare una nuova strategia.
Guardò il suo tramezzino mentre Frida aspettava una risposta. Le sorrise, cercando parole ovattate per rendere meno doloroso quel rifiuto a distanza. E con il solito garbo, con tenace pazienza, ci riuscì.
Sarebbe piaciuto anche a lui avere qualcuno cui chiedere di Elena. Ma non c'era nessuno che potesse informarlo delle nuove tensioni tra lei e l'ingegnere, dopo la gaffe dell'anniversario.
Così, davanti a un etto di tonno in mezzo al pane, Giacomo raccontò a Frida dettagli banali per lui ma fondamentali per lei: la serata al Tonga; le ballerine in tanga; i cocktail; la gita in scooter; la casa-cantina; il pranzo al Park Hyatt.
Omise solo l'arrivo di Regina, le insinuazioni del direttore e la T-shirt ME GUSTA LA CHICA. E mentre raccontava con insolita loquacità, Frida s'illuse che lo spritz si potesse trasformare in caipiroska, che il dehors diventasse scantinato, che i gabbiani si muovessero a ritmo di samba.
In quel momento, avrebbe scambiato volentieri l'incanto della laguna con il disincanto di Trezzano. Perché anche questo è l'amore.

28

«Signor Giacomo?»
«Sì, chi parla?»
«È la Banca Popolare di Vicenza, buongiorno.»
«Buongiorno.»
«Ci sono dei problemi con il suo bancomat. Possiamo verificare il numero di serie?»
«In che senso ci sono dei problemi???»
«Nel senso che in questo momento il suo bancomat non risulta in suo possesso.»
Bancomat. Codice segreto. *Do not panic, do not panic, do not panic.*
Mentre parlava, stava svuotando nervosamente il portafoglio.
«Pronto, signor Giacomo?»
«Un attimo... che sto cercando...»
«Non è che recentemente è andato a Milano?»
«???»
«... a trovare un suo amico brasiliano...?»
Rimase un attimo interdetto.
«Scusi, ma chi parla?»
«POSSIBILE CHE NON MI RICONOSCI?»
«Rafael!!!»
«Certo che sono Rafael, baluba... ti rendi conto che da due giorni il tuo bancomat è qui a Trezzano?»
«E cosa ci fa lì?»

«Ti dev'essere caduto l'altra sera... l'ha trovato Zazinho per terra stamattina, in mezzo alle magliette. Con il tuo nome sopra.»

Malgrado si conoscessero da poco, Rafael si era fatto un'idea abbastanza precisa di Giacomo per immaginare il suo stato emotivo in quell'istante. Riuscì però a fermare subito la foga risolutiva dell'amico inappuntabile: «Mando uno dei ragazzi, mando un pony, vengo io, chiamo un taxi, potrebbe anche venire la signora Silvana, perché no?».

«Ho pensato che anziché spedirtelo posso fare un salto io stasera, tanto non lavoro. Che ne dici?»

«Sì ma... non vorrei gravare sulla tua situazione economica.»

«Infatti non graverai, Jack. Mi paghi il biglietto del treno e siamo a posto così.»

«...»

«E preparami un letto!»

Giacomo rispose bofonchiando parole d'imbarazzo senza lasciarsi urtare dalla schiettezza altrui. Ma era una persona di cuore, si diceva, e quando le persone sono così devi imparare ad apprezzarle anche se sono troppo dirette, perché ti evitano un sacco di delusioni. Attaccò con una strana eccitazione addosso. Come se avesse capito che nella vita si può essere anche protagonisti, qualche volta, non solo comparse. E tutto grazie a un bancomat!

Rilesse per l'ennesima volta le parole che Rafael gli aveva dedicato, accorgendosi che le belle frasi sono come le canzoni che non ti stanchi di ascoltare.

Rimettendo a posto il quaderno, cadde per terra la foto con Salvo, e per la prima volta rise della sua espressione inebetita. Che faccia da sfigato. Ma uno può avere un ricordo così? Gli sarebbe piaciuto tornare a quella foto, e confessare al suo amico che lo considerava un fuoriclasse. Dirglielo apertamente: "*You are the champion*, lo sai, vero?". In cuor suo, sperava che un giorno potesse accadere.

Quando tornò alla reception, i suoi ragazzi avevano appena finito di sghignazzare alle spalle di un cliente, anche perché il Giacomo delle ultime settimane aveva permesso loro di non sentirsi ogni giorno dentro un film di James Ivory.

«È già partita la Scartozzi?»

«Sissignore, la saluta.»

«La quattordici è ancora libera?»

«Doveva venire il signor Verdel ma ha appena disdetto.»

«Bene, stasera avremo un ospite. Rafael.»

«Rafael...»

«Il ragazzo brasiliano. Rafael Pato.»

«Il brasiliano, certo.»

«Perché mi guarda con quella faccia?»

«Mi scusi, signore.»

Passò oltre pur avendo recepito il messaggio. La stessa insinuazione vagamente erotica che Giacomo aveva colto a Milano dal suo ex compagno di scuola alberghiera. Sospetto che alimentò più di un'occhiata tra i ragazzi quando Rafael si presentò con un giubbotto bianco di ecopelle e un pantalone che disegnava le specialità della casa.

Appena lo vide, Giacomo rimase di sasso, malgrado gli occhi estatici della signora Silvana, che trovava il ragazzo ancora più divo del suo Kenneth More: «*Che mal ghe xe, se uno el xe giovane e puro, a vestirse tuto de bianco?*».

L'aperitivo trascorse felice, tra prosecchi e battute. La signora Silvana si stava lentamente riprendendo dalla morte della sua amica. L'avevano aiutata il cibo, l'alcol e i pettegolezzi. Quella sera però era indignata perché aveva scoperto che la Chiesa era ancora esente dall'Ici e voleva scrivere al presidente della repubblica per chiedere d'intervenire. «Come si può accettare, con tutte le proprietà che possiede, che la Chiesa non paghi l'Ici?» urlava come una rivoluzionaria in comizio a Leningrado.

In realtà, era preoccupata perché l'architetto con cui viveva aveva voluto festeggiare il compleanno della badante, la Liuba. Le aveva pagato la cena, a lei e alle sue amiche, e le aveva dato un bel po' di euro per comprare vestiti nuovi e qualche gioiello, "perché è tanto una brava ragazza" le diceva. Ne aveva già sentite, di badanti che seducono i loro vecchi, e non avrebbe voluto aggiungere un nuovo capitolo. A quel punto Rafael, già urtato per l'affondo sulla Chiesa, partì con una filippica a difesa di tutti gli extracomunitari del mondo, con tanto di retorica e occhi lucidi. La signora Silvana, per una volta, si pentì di quello che aveva detto mentre Giacomo, come al solito, si astenne.

Il salotto era talmente variegato da essere poco credibile anche per un programma di Rete 4:

- un concierge seduto in poltrona come se fosse un cliente;
- un'ottantenne che non soggiorna nella locanda ma si presenta solo all'ora dell'aperitivo;
- un ex portiere brasiliano venuto a Venezia per restituire un bancomat;
- due turisti inglesi che cercano di leggere "The Guardian".

A vederli, non potevano che starti simpatici per la loro capacità di combinarsi senza regole, se non un sincero interesse per il diverso tout court. I più affascinati erano ovviamente i turisti per caso, che non avrebbero potuto ricevere cartolina più pittoresca dell'Italia.

Quella sera Giacomo si rese conto che avrebbe rinunciato volentieri alla palestra pur di trascorrere una serata con Rafael. Lo accompagnò in stanza e per un brevissimo tratto lo prese a braccetto senza rendersene neanche conto.

«A proposito, posso riavere il mio bancomat?»

«Oh, il bancomat. Eccolo qui: Banca Popolare di Vicenza... certo che uno come te poteva anche scegliere una banca migliore.»

«Perché, cos'ha che non va la Banca Popolare di Vicenza?»

«Non lo so, ma ho l'impressione che non guadagni tanti soldi se hai il conto lì.»

«Ma cosa ne sai tu di quanto guadagno io?»

«Già, a proposito... quanto guadagni? A me danno mille e due e quasi duecento tra mance e nero.»

Giacomo ripose il bancomat senza rispondere, guardandolo mentre estraeva dalla borsa il cambio per la serata. Nell'essenzialità di quel bagaglio – un jeans e una maglietta – rifletté sull'inutilità delle cose che i clienti portano in viaggio, che stiano via tre giorni o tre settimane.

L'atmosfera era affettuosamente rilassata. Aprì la finestra per sentire l'aria fresca provenire dal giardino. Poco più in là, dietro un muro di rampicanti, il piccolo campo dell'oratorio.

«Dimmi se ci sono novità con Regina.»

«...»

«Sempre se ne vuoi parlare.»

«Quando sei partito le ho mandato un po' di messaggi per scusarmi, per come l'ho lasciata andare via... e alla fine si è fatta viva. Ieri l'ho raggiunta su un set fotografico e dopo mi ha portato nella casa dove vive con un tipo, che però non c'era. Mi ha detto che vuole tornare in Brasile, e che quelli di Rede Globo sono pronti a far risorgere il suo personaggio.»

«Quindi riparte?»

«Credo di averla convinta a restare qui, perché qui ci sono io e nessuno la può amare più di me, capito? Siamo stati benissimo, Jack, non sai quanto.»

«E oggi è sparita.»

«E oggi è sparita.»

«E tu l'aspetti.»

«E io l'aspetto, certo. Cosa devo fare? Il cuore ordina e io obbedisco. Ogni tanto combino qualcosa con la nostra cassiera, Tamara, ma Regina è la donna della mia vita. Devo avere solo un po' di pazienza... o forse dovrei guadagnare di più. Dovevo venire qui in Italia per capire che i soldi aiutano le ragazze a innamorarsi.»

In realtà a Tamara dei soldi non poteva importare di meno. Lei non riusciva ancora a crederlo che quella bocca avesse potuto stamparle un bacio gratis, con tanto di lingua e palpata. Non ci poteva credere che una delle clienti più carine del Tonga si fosse messa a tossire, con la drink card in mano, per richiamare la loro attenzione alla cassa. C'era una testimone, e questo non aveva prezzo.

«Ma le ragazze non sono tutte uguali, Rafael, su. Non puoi generalizzare.»

«Lo pensi veramente? Forse dovrei riprendere a fare la marchetta, e allora vedresti come cambia la musica.»

Rimase qualche istante zitto, aspettando l'effetto delle sue parole bomba. Ma Giacomo non si scompose, stava pensando ad altro. Era tentato di aprirsi e raccontare tutto, anche di Elena, della rivincita che il tempo gli aveva accordato. Avrebbe voluto obiettare che lei era una donna diversa, che per lei i soldi non erano così importanti, che i suoi battiti venivano prima dei suoi calcoli. Ma mentre lo pensava si rese conto che non ne era convinto nemmeno lui.

Davanti a un ennesimo bicchiere di prosecco, persero tempo a cercare una strategia per Regina, affinché abbandonasse l'idea di riprendere *Páginas da Vida*, "ma l'amore nulla può contro l'ambizione" gli diceva Rafael in un momento di lucidità. E proprio mentre l'unica soluzione per lui percorribile era vincere alla lotteria, pose una domanda che lasciò Giacomo di sasso:

«Posso invitare qui Frida, stanotte?»

29

I transiti su Mercurio non l'avrebbero sicuramente aiutata nella discussione. Elena sapeva che quando suo marito si muoveva nel letto stava per chiederle qualcosa, per cui decise di farsi coraggio e precederlo.

«Allora, sei contento della festa?»

«Molto. Il vitel tonné era davvero eccezionale... sembrava quello di mia nonna.»

«E come lo faceva tua nonna?»

«Oh, la sua ricetta è sempre stata segreta. Anche se quello che fa veramente la differenza nel vitel tonné è la maionese.»

«Già, la maionese.»

«...»

«...»

«Elena?»

«Sì...?»

«Volevo chiederti ancora una cosa, se posso.»

«Dimmi.»

«Quanto ci è costata questa festa, più o meno? »

Lei stava per spararsi, anche se accovacciata nel letto, ma preferì aspettare. Era piuttosto impresentabile, e non sarebbe mai voluta morire in quello stato, per di più con due pianeti in opposizione.

«Non ne ho idea... ma perché me lo chiedi?»

«Così, mi è venuto questo pensiero durante la festa.

Ho provato a contare gli ospiti e a immaginare quanto ci sarebbero costati se li avessimo invitati al ristorante. Sono proprio curioso.»

Cominciava a essere troppo. Era la festa per i loro vent'anni di matrimonio. Era la festa dopo che l'ingegnere si era scordato, per la prima volta, del loro anniversario. Ed era soprattutto la festa bene della Torino bene di cui si sarebbe dovuto parlare (bene). Elena aveva deciso all'ultimo di organizzarla in casa, perché era uno dei luoghi che amava di più. Le mura domestiche le davano conforto, soprattutto quelle che esibivano opere d'arte. Si divertiva, eccitava quasi, ad alzare la mano alle aste e farsi guardare dalla platea attonita per i suoi rilanci, anche se faceva la smargiassa per le cose minori, artisti piemontesi dell'Ottocento per lo più, consigliati dalle amiche durante lo shampoo da Giorgetto.

E quella sera, davanti a una cinquantina di ospiti in tiro come se dovessero andare al Regio, lei aveva sentito che le cose non andavano poi così male. Forse aveva esagerato con la soprano scelta per interpretare le canzoni di Natale – per mezza giornata il suo commesso aveva provato a contattare la Ricciarelli – ma per il resto si era divertita. Suo marito, prima del brindisi, le aveva anche appoggiato una mano sulla spalla. Per lei era già tanto, perché un gesto di affetto esibito non ha prezzo per una donna che cerca l'assenso pubblico prima che l'amore privato. Ma dentro quel letto, dopo tutti gli sforzi, dopo essere passata oltre il preservativo caduto e l'appuntamento mancato al Bicerin, Elena avrebbe desiderato altre parole. Non poteva mettersi a discutere del vitel tonné. La ricetta sarà anche stata della nonna, ma ritrovarsi in un talamo a parlare di maionese non le sembrava il massimo.

Era passata qualche settimana dalla fuga a Venezia, e poco era cambiato nel loro rapporto. L'unico cambiamento, di fatto, era stata un'aggravante del loro equilibrio già precario: l'attesa vana in quel caffè. Ma la delusione di Elena era durata solo per poche ore, fino a quando l'ingegnere si era presentato con un nuovo brillante.

Quella sera, però, neanche il brillante le bastava più. Era sdraiata a guardare il soffitto, nell'attesa che una mano si facesse avanti, la sfiorasse, la prendesse da dietro con un sussurro eccitato, prima di un morso. La mano, miracolosamente, si fece avanti. Una mano sul gomito. Una mano immobile. La mano di chi si addormenta e all'improvviso si espande nell'altra metà del letto.

Elena si alzò, indossò una vestaglia, e andò a fare un giro per casa. I camerieri stavano finendo di togliere bicchieri e tartine da ogni possibile ripiano, sotto gli occhi vigili della governante.

Erano talmente concentrati nel contenere i rumori che nessuno fece caso alla sua presenza spettrale, ma lei liquidò ciascuno velocemente e prese a sparecchiare. Raccoglieva i salatini dimenticati nei piatti, li baciava e li buttava via facendosi il segno della croce.

Mise i bicchieri in lavastoviglie.

Svuotò i posacenere con i loro sigari invadenti.

La governante la guardava scuotendo la testa, impotente di fronte a una signora che riusciva a gestire il nervosismo solo in quel modo. Appena benedisse l'ultimo salatino si dileguò in biblioteca, chiuse la porta e prese in mano il telefono. Era quasi l'una ma non era nemmeno piena notte. E in un hotel la gente tira tardi, no?

«Locanda dell'Abadessa, buonasera.»

«Buonasera, disturbo?»

«Nossignora.»

Il ragazzo rispose in automatico ma era nel pieno del sonno.

«Vorrei parlare con Giacomo.»

«Ehm... il signor Giacomo al momento è in camera. Posso sapere il suo nome?»

«Sono Elena Barsanti.»

«Elena, mi scusi, non l'avevo riconosciuta... glielo passo subito.»

Il ragazzo guardò l'ora, rifletté se porsi o meno qualche scrupolo, ma pensò che fosse meglio osare, perché la chiamata di notte è sempre un codice rosso. Quando il telefono tuonò nella stanza, Giacomo ebbe un sobbalzo che lo fece quasi gridare. In quel momento aveva l'orecchio attaccato al muro, bramoso di capire il livello di piacere tra Rafael e Frida, che stavano nella camera accanto.

«Pronto? Pronto?»

«Signor Giacomo... stava dormendo?»

«No, no, figurati, è successo qualcosa?»

«C'è la signora Elena al telefono per lei.»

«Elena chi?»

«Elena Barsanti, la signora di Torino. Sembra preoccupata.»

Giacomo ebbe qualche istante di esitazione, come se si trovasse in un cinema multisala e dopo l'intervallo fosse stato sbalzato dentro un altro film. Elena era di nuovo lì, ricomparsa in piena notte come un vampiro di *Twilight*, mentre lui stava inseguendo altri fantasmi che lo rendevano sempre più vulnerabile. Si fece passare la telefonata cercando di mantenere la calma. Iniziò parlando a monosillabi, anche perché era sorpreso e pure un po' offeso con lei, sparita da quella follia senza nemmeno una parola né una riga. Ma quando la conversazione entrò nel vivo Giacomo perse ogni strategia, abbandonò ogni rancore, in balia totale della sua confusione emotiva.

«Come sarebbe "venire a Torino domani"?»

«Mi farebbe piacere vederti, portarti fuori a cena...»

«E tuo...?»

«Mio marito? Lui domani ha la cena con quelli del

golf. Si ritrovano e parlano in piemontese. Le bambine le spediamo da mia suocera... tu ti devi solo preoccupare di trovare un treno, o vieni in macchina?»

«Treno, treno. Ma mi devi lasciare il tempo di capire se riesco a organizzarmi con il lavoro, perché nelle ultime settimane ho trascurato troppo i nostri clienti.»

«Anch'io sono una vostra cliente. E sono la più trascurata di tutti.»

Elena sentì che si stava lasciando andare a un tono per lei audace – per lui complice – e le venne il timore che il marito potesse sentire. Si affacciò nel corridoio ma vide solo la sagoma della governante che passava lo straccio per terra. Giacomo, dall'altra parte della cornetta, era immobile. Come se un sentimento inconsapevole lo trattenesse da quel desiderio di prendere e partire.

La donna che aveva atteso per anni si era fatta di nuovo viva, e stava aspettando una risposta.

«Elena, mi piacerebbe molto ma te lo posso dire domattina.»

«Ah, lo sai solo domani?»

«Ma comunque sono quasi sicuro.»

Stava già cedendo.

«... Devo solo vedere i treni... e l'hotel.»

«All'hotel ci penso io.»

«Ok, allora...»

«Allora?»

«Allora a domani.»

«A domani, Giacomo. Sono felice.»

Prima di mettere giù, si scambiarono i numeri di telefono. La conversazione continuò così via sms fino alle due passate. Tra le varie banalità, riuscirono a discutere se era più buono lo spritz con l'Aperol o con il Campari. In certi momenti non è importante cosa c'è scritto nel messaggio, perché l'importante è che arrivi, che suoni, che appaia.

Giacomo si era appena appisolato quando venne

svegliato dal rumore di una porta che si chiudeva, seguita da un tacchettio di passi. Frida stava andando via, ed era sola.

La sveglia segnava le 2.48.

Prima di ripiombare nel buio, riuscì a chiedersi se la mattina dopo Romeo avrebbe trovato il tempo per allenarlo.

30

Non gli restò che correre.

Malgrado gli sforzi, Romeo non era riuscito a spostare nemmeno un appuntamento, per cui fu costretto a deludere Giacomo, che si vedeva già in tuta a fare pek dek. Voleva arrivare a Torino turgido di bicipite, come se un allenamento dell'ultimo minuto servisse ad apparire più tonico agli occhi – e alle mani – di Elena. In poche settimane aveva perso quattro chili ma, soprattutto, aveva ridistribuito il suo peso. «Anche se il lavoro più duro» gli ripeteva Romeo «sarà quando dovrai mantenere i risultati. *E xe qua che vien el più belo.*» Il bello, per Romeo, era la fatica. Il sacrificio. Il tonno. Le serate senza alcolici, senza fritti, senza sughi. A pensarci bene, una vita di merda. Vista la necessità di un allenamento immediato, Romeo gli aveva consigliato quaranta minuti di jogging per le calli con i vari saliscendi di ponti, ponticelli, e stretching a seguire.

Giacomo non era propriamente in forma, quella mattina. Aveva dormito male, una notte scandita da incubi, come se l'avverarsi di un desiderio insperato gli avesse procurato una nuova forma di ansia. Anziché alzarsi subito, aveva indugiato a letto sfogliando il suo quaderno, fissandolo come un Sudoku da risolvere.

Rocco e Daniele sono senza dubbio una coppia clandestina. C'è qualcosa che li turba, li inquieta, pur nella gioia di una vacanza romantica. Me ne sono accorto ieri mattina, prima che andassero via. C'era il messaggio di una ragazza, una certa Viola, per uno dei due, che ha subito cambiato faccia. Come se fosse un pizzicotto che di colpo ti riporta alla realtà. Il signor Rocco è una persona alla mano, socievole, scarpe da tennis, anche se dev'essere uno che si crea tanti problemi. L'altra sera mi ha raccontato del suo lavoro a Londra, e mi ha chiesto un posto dove mangiare a lume di candela perché il suo amico è un patito dell'ecologia. Mi chiedo come si possa chiamare "amico" uno per cui cerchi un tavolo con le candele. Forse temeva che mi scandalizzassi se avesse detto "fidanzato", o "compagno". Probabilmente mi sarei imbarazzato, mi conosco ormai.

Le coppie, anche le più insospettabili, si riconoscono sempre dallo spazio che c'è tra di loro. Se ce n'è troppo, o troppo poco, potrebbero avere una relazione. Me lo fece notare anni fa un collega a Parigi, anche se lui diceva che il vero indizio di una coppia gay è se va alle mostre di pittura!

C'è sempre qualcosa che alla fine li tradisce, perché in fondo quello che desiderano è proprio questo: essere riconosciuti. Sono sicuro che anche io e Salvo, a modo nostro, ci siamo fatti riconoscere.

Ma ci siamo fatti riconoscere solo quando tutto era finito. Pentendocene. Negando l'evidenza, a cominciare da noi stessi. A volte penso a come sarebbe stata la mia vita se avessi avuto il coraggio di lasciarmi andare. Io e Salvo ci saremmo trasferiti all'estero, a Stoccolma, dove non c'erano giudizi né pregiudizi. Solo fiumi di alcolici, ponti da cui suicidarsi e ragazze bionde. Ci avrebbero importunato per sapere come si cuoce la pasta al dente, e Salvo avrebbe aperto una scuola di cucina, o addirittura un ristorante. Saremmo diventati ricchi. Invece lui se n'è andato a Parigi e io ho cominciato a fare lo spedizioniere a Monaco di Baviera.

Ma non ho la certezza che saremmo stati felici, in Svezia. Forse ci saremmo suicidati anche noi. La felicità la puoi provare solo a cose fatte, non la puoi mai immaginare. E io la conosco, ormai. L'ho vista in faccia un pomeriggio, sugli Champs Élysées, l'unica volta in cui ci siamo incontrati da allora. Dopo una lunga trafila ero riuscito a farmi assumere al Ritz, non sopportavo l'idea di stargli lontano, ma non ebbi il coraggio di cercarlo. Poi un giorno, quando non ci stavo più pensando, me lo sono trovato, fianco a fianco, in una libreria. Stava sfogliando *Bel-Ami*, di Guy De Maupassant. Voleva leggere qualche classico francese, mi disse, "e tu che ci fai qui?" aggiunse, anche se non poteva non sapere che ero anch'io a Parigi, a due passi dal Plaza. Tutti i nostri ex compagni lo sapevano. Io volevo solo dirgli che ero così contento di averlo rivisto, ma lo abbracciai soltanto, e lui anche, mi abbracciò, appoggiando il libro sul banco. Mi sono sentito come in quel film dei due cowboy dove uno alla fine muore. Il sogno si è infranto quando è comparsa la sua compagna giapponese. Era minuta e indossava un cappello che la rendeva un po' ridicola. "È come un fratello" lui disse, e io ci rimasi male. Ci promettemmo di rivederci, mi regalò quella copia di *Bel-Ami*, "così non ti dimentichi di me" confessò col suo sorriso che non era cambiato, mentre scriveva una dedica e la geisha, che odiai, ci guardava senza capire una parola. Da allora, ho perso ogni traccia. Solo questo libro, che non ho avuto mai il coraggio di leggere. A parte la dedica.

Quando l'altro giorno ho visto arrivare questi ragazzi, ho ripensato a noi due, a Parigi, quel pomeriggio di troppi anni fa. Fuori pioveva. Pioveva tantissimo.

Prima di uscire, dopo aver ingurgitato sei bianchi d'uovo, si diede un'occhiata allo specchio: forse aveva esagerato con polsini e fascetta in testa, ma si sentiva a posto così. Quando l'amico brasiliano lo vide, in giardino, smise di cantare *Já sei namorar* e cominciò a ridere. Gli sembrava un presidente americano in libera uscita. Lo supplicò di prestargli dei pantaloncini per poter correre con lui. La pausa di riflessione gli costò cara, perché in quel momento si palesarono due clienti siciliani in stile "Gattopardo forever" che lo guardarono basiti. A nulla servì sorridere, perché Rafael lo spinse via senza lasciargli il tempo di dare spiegazioni.

Appena entrati in camera, cominciò a frugare nei cassetti come se fosse a casa sua.

«Jack... smettila di imbarazzarti... ormai abbiamo dormito insieme, e il tuo amico dell'hotel pensa addirittura che siamo amanti.»

«E tu come fai a saperlo?»

«Ce l'aveva scritto in faccia. Tutti quei sorrisini... credo che ci abbia anche indicato a un cameriere, ma ormai ci sono abituato.»

Giacomo non sapeva cosa dire. Era ancora offeso col suo amico di Milano ma al tempo stesso era infastidito da Rafael, e non perché gli stava rovistando nei cassetti. Il fatto che avesse passato di nuovo la notte con Frida non gli era piaciuto per niente. Ai suoi occhi, lei non era più una prostituta da cinquecento euro a seduta – cento per lui –, la donna che appaga solo chi paga. Era innanzi tutto una ragazza innamorata, e niente è più democratico e indifeso di quel sentimento lì.

«Allora com'è andata ieri sera, Rafael? Ti sei sfogato?»

«Dal tuo tono direi che la cosa ti ha dato fastidio.»

«...»

«...»

«Perché pensi questo?»

«Perché ti conosco, Jack... oh, ecco qui un bel paio di pantaloncini.»

Jack, lo stava chiamando di nuovo Jack. Ma per quanto urtato, Giacomo non riusciva ad arrabbiarsi veramente: in fondo sapeva che se Rafael avesse intuito quella specie di gelosia, avrebbe probabilmente lasciato perdere.

«Scusa, non fraintendermi: è che conosco Frida da anni e non vorrei che ci stesse male, tutto qui.»

«Tutto qui?»

«Tutto qui.»

Non gli credette, ma non aveva voglia di discutere. E poi sapeva che il suo amico era il meno italiano di tutti gli italiani che aveva conosciuto fino ad allora. Così si allacciò le scarpe da ginnastica, cominciò a sgambettare, e trascinò fuori il concierge mimando il trenino "Brigitte Bardot-Bardot!".

Il venticello che li accolse all'uscita tolse loro ogni desiderio di riprendere il discorso. Ci mancava la musica di *Rocky* e sarebbe stato uno show perfetto.

In un istante, Giacomo si rese conto di quanto fosse diverso correre sul tapis roulant, ma sentì che i polmoni gli andavano dietro. Rafael, dal canto suo, ritrovò nella fatica l'antica adrenalina di quando giocava nel Santos. Giornate tutte uguali, ma quasi tutte meravigliose, passate ad allenarsi di giorno e a divertirsi di sera, nell'attesa della grande partita del sabato.

Partirono da Cannaregio per poi costeggiare le Fondamente, l'Ospedale, la Darsena, l'Arsenale. Giacomo ebbe un momento di titubanza solo su un ponte, ma il cuore lo spinse fino a Sant'Elena, dove la corsa cedette il posto a un passo accelerato, che a sua volta cedette il posto a una panchina.

«Meno male che non eri allenato...»

«Deve essere il tapis roulant di Romeo.»

«E chi è Romeo?»

«Il mio PT.»

Rafael fischiò.

«Un personal trainer? Allora lo vedi che mi nascondi qualcosa?»

«Sì, ma è un segreto.»

«E lei lo sa?»

«Credo di sì.»

«Allora non è Frida.»

Provarono a riderci sopra, senza riuscirci veramente. Giacomo fece appello a tutto il suo coraggio perché era la prima volta che lo diceva.

«Frida non c'entra, te l'ho detto. Si chiama Elena e sta a Torino.»

«È la signora bionda dell'altra volta, vero?»

«È la signora bionda, sì.»

«Minchia se ti piaceva. Stavi seduto come se avevi una scopa nel culo e trattenevi il respiro per non far vedere la pancia.»

«Ero ridicolo, vero?»

«Sì, ma ce ne siamo accorti solo io e la signora Silvana... te l'avrei già voluto chiedere a Milano.»

«Anch'io avrei voluto dirti tante cose a Milano, ma non c'è stata occasione.»

«Dimmele ora.»

«Ora non è più tempo. Ci sono cose che puoi dire una volta sola.»

Rafael lo guardò pieno di ammirazione, come se fosse un guru collegato con l'aldilà. Sembrava una massima di Armando, il suo allenatore, che lo aveva conquistato con le sue frasi a effetto: lui che non aveva mai avuto un padre e quasi solo una nonna, quelle parole se le cuciva sul cuore.

«Possiamo non parlarne più?»

«Come vuoi tu, capo.»

Ruppero di nuovo l'imbarazzo con una risata, ma nel riso di Giacomo c'era soprattutto la soddisfazione di aver confessato a qualcuno di Elena. Ammetterne l'esistenza cancellava ogni ombra del suo passato, e questo gli infondeva coraggio. Era così contento che per un attimo gli venne da cantare: "È / L'amico è / Il più deciso della compagnia" di Dario Baldan Bembo.

Finito di tracannare il Gatorade, Rafael balzò in piedi e sollevò Jack dalla panchina. «Devi muoverti» gli diceva, «altrimenti poi ti vengono i crampi.»

Tornarono indietro senza più correre. I pochi turisti li guardavano incuriositi, alcuni facevano addirittura delle foto. Poco dopo piazza San Marco – insolitamente quieta perché la massa sbarcava alle dieci – Giacomo raccontò anche dell'ultima, insperata telefonata. Dell'invito a Torino per quella sera. Delle sensazioni di paura e felicità che lo rendevano fragile, e per la prima volta glielo facevano ammettere.

Rafael riconosceva nelle parole dell'altro stati d'animo che aveva provato molte volte, e che anche lui non era riuscito a esprimere con nessuno. Due caratteri antitetici, accomunati da un amore sbarrato.

Arrivarono alla locanda quasi privi di forze. Rafael avrebbe voluto tirare ancora qualche rigore, ma l'altro lo supplicò di non insistere. Come due liceali in gita, decisero di pranzare insieme e prendere poi lo stesso treno.

Appena si rifugiò in camera, la prima cosa che Giacomo fece fu pesarsi. Nudo. "Un chilo in meno, *yes*, sono solo liquidi ma non è detto, maniglie dell'amore tiè, doppio mento tiè, tricipite che dondola tiè, andrà tutto bene, tiè." Già, ma cosa? Elena era e sarebbe rimasta sposata. Però il solo rivederla dava senso a quelle settimane di attesa, ai bianchi d'uovo ingurgitati a digiuno, alle notti insonni passate a masturbarsi rivivendo la stessa scena mille volte. Si vestì e bussò a Rafael per chiedere se il look andava bene. «Sei perfetto» gli disse, allentandogli solo un po' la cravatta, perché l'aveva visto fare una volta a Dolce e Gabbana.

L'allegria continuò anche in treno. Per la prima volta in vita sua, Rafael appoggiò le chiappe su una poltrona di prima classe e i piedi sulle ginocchia dell'amico. Poi consegnò a Giacomo una scatola.

«E questa cosa sarebbe?»

«È il kit del seduttore per stasera. Silvio Santos l'ha dato una volta a *Qual É a Música?* e poi il tipo ha rimorchiato.»

«???»

«Ho preso tutto in tabaccheria, quello che mancava l'ho aggiunto io. Su, aprila!»

Giacomo sollevò il coperchio per trovare: slip a righe; una bottiglietta di shampoo vuota dov'era stata travasata una colonia tipo Pino silvestre; chewing-gum senza zucchero; preservativi ritardanti; fazzolettini di carta.

Cominciò a ridere, senza riuscire a fermarsi, mentre Rafael frugava nelle tasche in cerca di un telefono squillante. Vide lo schermo e sorrise. Era Tamara, di fretta, che gli fece strane domande su data di nascita, permesso di soggiorno, la città del Brasile in cui era nato, il titolo di studio, la conoscenza dell'inglese e come se la cavava ai fornelli. S'inventò che servivano al commercialista del loro titolare. In realtà stava compilando le selezioni per mandarlo a *Uomini e Donne*.

Il tempo di mettere giù, e il cellulare trillò di nuovo, ma Rafael questa volta non sorrise.

«Perché non rispondi?»

«È Frida e non ho niente da dirle... ieri sera è stata strana, stranissima... per essere una *puta* è proprio una tipa particolare.»

«Rafael?»

«Dimmi, Jack.»

«Puoi evitare di chiamarla *puta* davanti a me?»

31

Elena si presentò alla stazione di Porta Nuova come se dovesse consegnare un riscatto ai rapitori. Cappotto fino ai piedi, occhiali fumé, cuffia tempestata di brillantini, fare circospetto. Anche la Kelly di Hermès aveva qualcosa di losco, su di lei.

Durante l'attesa, due carabinieri le avevano addirittura chiesto i documenti e lei sarebbe stata pronta a farsi arrestare, tanto era tesa.

Aveva parlato di quella pazzia solo con il commesso. Si sarebbe voluta confessare, ma avrebbe avuto bisogno di una donna, non di padre Maurizio. Così aveva ripiegato sul suo sottoposto, indulgente per forza e per contratto. Per quella sera le aveva consigliato di stare calma, di essere naturale, di godersi la serata, di non dare nell'occhio, di evitare ristoranti famosi e luoghi affollati. Soprattutto le aveva consigliato di andarci piano col rimmel e con le paranoie astrali.

Lei aveva invece pensato di fare di testa sua, prenotando una camera al Golden Palace e una cena al Combal Zero. Voleva fare bella figura, dimenticando che quello, di fatto, era un incontro clandestino.

Non aveva l'esperienza che porta le coppie segrete a entrare nei locali separatamente, a incontrarsi di notte in mezzo a un parco e di giorno al motel K di Voghera. Coppie che devono evitare baci pubblici e sguardi languidi, e magari avere un telefono che squilla solo per sé.

La cosa più vietata che aveva fatto era stato un topless ai Balzi Rossi, una volta che non c'era nessuno.

Le prime ad accorgersi del nuovo atteggiamento erano state le sue pupe, insospettite dal trucco vistoso – alla faccia del poco rimmel – mentre le portava dalla suocera. Ma aveva inventato una presentazione con Carofiglio al Circolo dei Lettori, e l'interrogatorio era finito lì.

L'ingegnere-secchione, dal canto suo, si era defilato presto per la cena del golf a Biella – si chiamava Ludmilla – mettendo le mani avanti su una serata che sarebbe andata sicuramente per le lunghe. In questa commedia dell'arte piccolo torinese, Elena aveva ribadito che sarebbe andata prima a vedere il Gianrico, poi a cena con un'amica, e si sentiva a posto così. Sembrava la trama impegnata di un film con De Sica: denaro, bionde in mutande, e vicendevoli corna.

Giacomo, invece, aveva una paranoia di tutt'altra natura: gli acidi lattici. Gli sforzi della corsa mattutina si stavano facendo sentire. I primi sintomi erano giunti a Milano, quando aveva salutato Rafael per cambiare treno, ma l'euforia della gita gli aveva fatto dimenticare le gambe. Avevano trascorso il viaggio a discutere di tutto, dalle notti a Rio al calcio mercato, per chiudere con parole più serie, più vere, perché il poco tempo li aveva messi alle strette e allora si erano detti le cose come le sentivano. È per questo che gli addii, anche i più piccoli, sono sempre un po' speciali.

Dopo Vercelli aveva iniziato a fare stretching, con visite occasionali in bagno per controllare ora i denti, ora i capelli, ora la cravatta.

Sarebbe stato perfetto, più che per un incontro galante, per un catalogo di abbigliamento, ma quello era l'unico modo di vestirsi che conosceva.

La prima cosa che vide, quando arrivò al binario, fu

un volto sconvolto. Elena era tesa, preoccupata, sembrava quasi brutta. Non aveva più nulla della donna che l'aveva stregato, sedotto, abbandonato. Si baciarono sulla guancia, nella freddezza più totale.

Entrambi provarono un piccolo momento di delusione, come se sentissero di aver sbagliato tutto e volessero ripetere la scena.

«È da molto che sei qui?»

«No, sono appena arrivata.»

Erano quarantacinque minuti.

«Allora, cosa facciamo?»

«Non lo so, cosa vuoi fare? Preferisci passare in albergo o andiamo direttamente a cena?»

L'orologio indicava le sette. Giacomo si rese conto che la sua dolce metà non era per nulla padrona della situazione.

«Forse è meglio fare prima un salto in albergo. È lontano da qui?»

«No, una passeggiata.»

«Bene, andiamo.»

«Ma è meglio se prendiamo un taxi, sai...»

«Sai cosa?»

«Se incontriamo qualcuno, forse è meglio...»

Giacomo annuì, sempre più perplesso. Era sul punto di zoppicare. In taxi quasi non si parlarono. Quando l'usciere del Golden le aprì la porta, Elena sentì di nuovo su di sé gli occhi dei passanti, i flash dei fotografi, mentre nelle orecchie le rimbombarono le parole del suo commesso che le sconsigliava un albergo del centro, un ristorante vistoso.

Un brivido le corse lungo la schiena non appena il concierge le chiese un documento d'identità, a lei e al signore. Si vedeva sull'orlo di un abisso, perché ogni cliente le pareva un conoscente cui dover rendere conto. Per quale ragione si stava mettendo in un guaio simile? Era senza dubbio la luna opposta a Urano a renderla così impulsiva.

Fu solo in ascensore – finalmente soli – che ritrovarono la magia del ricordo, l'erotismo del corpo. Si baciarono, e finalmente si concessero un momento di affetto. Affetto che nella stanza si trasformò in eccitazione, in gioco, in parole dolci e gesti forti. Si rotolarono nudi e un po' goffi, senza riuscire a godere totalmente del loro eros ritrovato, senza spogliarsi nemmeno del tutto. Lui la prese da dietro, e a lei piacque soprattutto perché si sentiva punita, in quel modo, provando un certo sollievo. Dopo l'orgasmo, il silenzio.

«Era questo che volevamo?»

«...»

«...»

«Sì, credo di sì.»

«Perché credi? Non ne sei sicuro?»

Non ne era sicuro per niente, ma non voleva dirlo. Non era così che si era immaginato una storia d'amore. Un albergo nella stessa città della tua amata, gli occhi attenti a chi è in giro, la voce bassa, le orecchie tese. Avrebbe preferito una passeggiata sul Po, anche se era buio, farsi stregare dalla collina, darsi un bacio sotto la Mole e uno in cima, per vedere le luci della città. Avrebbe voluto un caffè da Mulassano perché era stanco del viaggio, e un prosecco da Platti, per sentirsi ancora a Venezia.

Invece si trovava davanti a un frigobar di lusso, e i frigobar di lusso sono uguali in tutto il mondo, con la Perrier che costa uno sproposito e lo champagne è un furto mignon.

«Certo che sono sicuro, Elena. Sono contento di essere qui, quasi non ci speravo più... cos'hai da guardare così?»

«I tuoi muscoli. Non ti ricordavo così... prestante.»

Per un attimo, s'innamorò di nuovo.

«Davvero?»

«Oh sì.»

«...»

«Sono felice che tu sia qui.»
«Anche io.»
«Sembri stanco, però.»
«È il viaggio.»
«Sei sicuro che sia solo il viaggio?»
Il telefono di Elena salvò Giacomo da una risposta traballante. Le pupe, erano le pupe che – per voce della suocera – chiedevano se potevano giocare con i trucchi. Rispose talmente impanicata che la suocera le chiese se si sentisse bene. Al secondo indugio, le chiese dove si trovasse. E lei, nel terrore, spense il telefono.
Nei momenti che seguirono s'immaginò di tutto, dai carabinieri che fanno irruzione nella stanza all'ingegnere che l'attende a braccia conserte nella hall. Non poteva di certo sapere che lui era sì in quella posizione, ma nudo, in compagnia della simpatica Ludmilla.
Giacomo si alzò in piedi, indossò un accappatoio e le fece una carezza.
«Credo di aver combinato un casotto.»
«Ma no. Semplicemente ti si è scaricato il telefono... succede, no?»
Le fece l'occhiolino e la strinse a sé con quei bicipiti nuovi. Elena sorrise un istante, prima di scoppiare in lacrime. «Mi spiace» diceva, «ma non doveva andare così.» La cena al Castello di Rivoli, il menu di Davide Scabin, la passeggiata in via della Rocca, il bacio sui ciottoli di piazza Maria Teresa. La Torino che più amava non poteva essere condivisa con l'amato, perché lei non solo era una donna sposata, ma era anche un volto noto.
Si rivestirono in fretta, senza trovare il tempo di una doccia, senza dirsi ancora molto. Si baciarono distrattamente, imitando un gesto di cui non erano più autori, ma blandi imitatori. La chiamata di una suocera era riuscita a rompere la poesia di un incontro, ma la poesia non abitava più lì.
Giacomo la lasciò andare guardandola e basta, senza

strapparle promesse, per non rovinare quel poco che restava ancora di loro. Elena, invece, pensava ancora di poter risolvere la situazione. Aveva solo bisogno di allontanarsi da lui, tornare a casa, ricomporsi allo specchio e buttarsi sotto l'acqua per togliere di dosso odori e sospetti. E poi si sarebbe confessata in chiesa, era giunto il momento ormai.

Non appena fu in strada, da sola, si sentì rinascere. Chiamò la suocera riuscendo a inventare una frottola con tutt'altro piglio rispetto a poco prima. I passanti sembravano sorriderle, e lei sorrideva a loro.

Era innocente. Era di nuovo santa. Era la pecorella che torna all'ovile.

Avrebbe cominciato a nutrire qualche dubbio sulle proprie certezze soltanto più tardi. Quando, alle due passate, si sarebbe accorta che l'ingegnere non era ancora rientrato.

32

Niente può farti sentire più solo di un incontro deludente in una città non tua.

A Giacomo non erano bastate una suite prepagata e una donna appagata per sciogliere i dubbi che ogni tanto gli rubavano il sonno. Aveva sbagliato tutto, si diceva. Avrebbe dovuto farsi una famiglia e trovare un amore, una storia semplice, provarci almeno, senza perdere tempo.

Si buttò sotto la doccia, e fu proprio mentre massaggiava la testa che sentì la rabbia esplodergli dentro, per sciogliersi in poche e confuse lacrime, frutto della stanchezza oltre che della delusione.

La borsa aperta sul letto mostrava una camicia stirata, una cravatta, un vestito nero, e un beauty che gli aveva regalato un Lord in segno di riconoscenza. La richiuse con rabbia, sorprendendosi della sua reazione, come se neanche lui si conoscesse veramente: "Sei un coglione" si diceva, controllando il telefono per vedere se intanto Elena avesse chiamato, "magari appena arriva a casa si rilassa e torna da me, e anche il mio ego torna da me".

Ebbe finalmente uno scatto d'orgoglio. In fondo non aveva sbagliato niente. Aveva seguito il suo cuore e si era lasciato andare. Di più non avrebbe potuto fare, no? Non aveva nessuna voglia di sdraiarsi su quel letto che non avevano nemmeno sfatto, tanta era stata la fretta. E anche se era un ottimo ansiolitico, mettersi a dormire in quel momento sarebbe stato un segno di sconfitta.

Si rivestì come se la serata dovesse ancora cominciare. Erano le undici e mezzo di una notte di dicembre, in una città che Giacomo aveva visitato solo attraverso le parole dei suoi clienti. Scese in reception e chiese consigli per un giro notturno. Si straniò a domandare, anziché rispondere, come era solito. Poco dopo si ritrovò tra le mani una passeggiata tratteggiata a mano su una piccola cartina, raccontata con un entusiasmo di cui lui stesso si sorprese.

Appena fuori, si sentì meglio. Era ferito, ma non dolorante. L'aria odorava di nebbia, le luci offuscate dei lampioni rendevano tutto più triste. Ma Torino, nella sua magia, era un regalo non scartato. Giacomo arrivò a piedi in piazza San Carlo, e lì si fermò. Intorno a lui il rumore di qualche macchina lontana, e sparuti passanti che assomigliavano ai pastorelli di un presepe.

Aprì la cartina solo per verificare di aver imbroccato il percorso segnato. Si commosse davanti all'albero di Natale che avevano allestito in piazza Carignano, fermandosi a guardare le vetrine della libreria Luxemburg. Per un attimo gli parve di essere di nuovo a Parigi. Fingendo di guardare i libri, prese a tirare calci contro la serranda. Una, due, tre volte. Risentiva la rabbia tornare su, una rabbia che non sapeva più gestire. Guardò l'ora, anche se avrebbe voluto guardare un calendario, per sapere quanti anni aveva sprecato.

Era mezzanotte. In quell'attimo simbolico, lesse la genesi di un nuovo inizio. Sarebbe ripartito, e tutto sarebbe stato ancora più bello.

Allungò il passo e cercò di orientarsi senza più guardare la mappa, tanto aveva capito che perdersi a Torino è piuttosto improbabile. Percorse via Po cercando il fiume e la collina, ritrovandosi in una piazza immensa disegnata dai portici. I ragazzi ancora in giro facevano crocchio intorno a una sigaretta e alle ultime parole dopo il cinema.

Arrivato sul ponte, si affacciò alla ringhiera piena di piante che sfidavano il freddo. La collina intorno faceva capolino in mezzo ai fumi, con le sue ville silenti e le basiliche illuminate. Fu in quel momento che ebbe il desiderio di risentire la sua voce. Uno squillo, due squilli, tre squilli – forse sta lavorando – fino a che il telefono smise di suonare.

«Giacomo, è successo qualcosa?»

«Niente, avevo voglia di sentirti. Stai lavorando?»

«No, ho finito da un pezzo. Stasera avevo solo una cena con un trevigiano insopportabile.»

«...»

«...»

«Come stai veramente, Frida?»

«Se pensi che stia ancora soffrendo per quello stronzo di brasiliano, ti devi ricredere.»

«Non chiamarlo stronzo, però.»

«Vabbè, quello lì. Ma non ho voglia di parlare di lui... che fai, ora?»

«Veramente... sto facendo una passeggiata a Torino.»

«A TORINO?»

«Sissignora... vuole venire? Ho una suite bellissima senza ospiti.»

«La smetta, messere. Quando torna?»

«Credo domani.»

«Domani sera non lavoro. Se vuole potremmo cenare insieme.»

«...»

«Vuole?»

«Solo se torni a darmi del tu. Ti chiamo quando arrivo in laguna.»

«Prepara una buona scusa per dirmi cosa ci fai in Piemonte.»

«Ci proverò. A domani.»

«Buonanotte.»

Respirò a pieni polmoni come se fosse stato in apnea. Si sentiva sperduto e confuso, ma per una volta libero. Se non si fosse trovato così lontano, mai avrebbe chiamato Frida a quell'ora, se non con intenzioni sconce. Ma le aveva ancora, le intenzioni sconce?

Già che era in vena di slanci, provò a telefonare anche a Rafael. Uno squillo, due squilli, tre squilli – forse sta lavorando – fino a che il telefono smise di suonare.

«Sì, chi parla?»

«Buonasera, sono Giacomo e vorrei parlare con Rafael.»

«CHI???»

«Rafael Pato.»

«Ah, Lele!!! Sei il suo amico dell'altra volta, vero? Sono Tammy. Lele è giù che lavora... stasera credo sia arrivata anche Carmencita, quella delle telenovelas... ma, dico io, come si fa a perdere la testa per un'attrice di telenovelas? Roba da terzo mondo.»

«Tammy... può solo lasciar detto che ho chiamato?»

«Opsss, ho capito, pensi che sono razzista.»

«Ma no...»

«Guarda che i miei sono meridionali, capito?»

«... I miei erano originari del Nord.»

«Erano?»

«Erano. Non ci sono più.»

Tamara s'inabissò, non avendo la più pallida idea di come si facessero le condoglianze. In realtà, era nel baratro già da un po', da quando aveva visto Regina arrivare nel locale e scendere con le sue tette sicure, il passo di una che sa come far rigare dritto un uomo. Non come lei, che non era mai riuscita a quagliare niente. Giacomo, dall'altra parte, tossì per chiudere la conversazione.

«E com'è che ti chiami, già?»

«Giacomo...»

«Giacomo Giacomo?»

«Tu digli Jack.»

«Va bene, Jack. Torna a trovarci, bello.»

E mentre lui decideva che forse era ora di spegnere la testa e il telefono, Rafael – Lele – al piano di sotto era arrivato a un rendez-vous finale con il suo destino. Regina era tornata. Lo aspettava da sola, seduta a un tavolino, il volto triste, lo sguardo di un cerbiatto ferito che cerca solo carezze. Nell'ultima puntata, il manager delle ballerine l'aveva quasi stuprata in una notte di sesso, alcol e cocaina. Quando Rafael la vide conciata in quel modo, mentre gli chiedeva di tornare con lei in Brasile – "diventerai famoso anche tu" –, provò solo rabbia. Una rabbia che non riusciva a frenare, malgrado lei fosse a un passo dalle lacrime, come se nella disperazione avesse trovato la soluzione.

Si era messa in un angolo, Regina, a recitare la parte della protagonista maltrattata dal fato, aspettando che lui se la filasse. Il Walter, nel frattempo, cantava *Si è fermato il tempo* dei Negramaro nella solita divisa da bodyguard mancata. Rafael la guardava senza vederla, frullando fragole e cachaça. "Sono venuto in Italia per te brutta stronza" parlottava, "e tu mi hai usato solo quando ti andava, quando nessuno ti vedeva, quando avevi voglia di godere e basta, pensando che i maschi sono tutti uguali, che vogliono solo comandare e fottere, fottere e comandare, mentre non siamo tutti uguali, brutta stronza, così come ormai ho capito che le ragazze non sono tutte stronze come te. Tanto lo so che mi vuoi solo per farti compagnia durante il viaggio, e appena atterriamo a Rio e spuntano i fotografi, io non esisto più."

Glielo avrebbe voluto gridare in faccia, invece lo bisbigliava a quel frullatore rumoroso. Ci pensò invece la cachaça, a calmarlo, un paio di bicchieri *al truc* per cercare di non pensarci: "Bevi, bevi e tutto sarà più facile".

Rafael si sforzò di essere concentrato e professionale, mentre Bambi lo guardava con gli occhi che dicevano: "Torna da Carmelinda tua".

Le portò un cocktail analcolico, uno di quelli alla

frutta che lui tanto detestava, e lei vide in quel gesto una possibilità. Quando però la serata volse al termine, dopo che il Walter propose per la seconda volta *Stupida* di Alessandra Amoroso, si sedette al suo tavolo riuscendo solo a dirle: «*Poxa! Eu sinto muito...* mi spiace, ma è tardi. Troppo tardi».

Tirò fino all'alba tra le braccia di Tamara, che da un lato lo consolava e dall'altro lo incoraggiava a concentrarsi sulla sua carriera. L'avevano chiamata dalla redazione di *Uomini e Donne* ed erano interessati a incontrarlo.

Le sarebbe piaciuto aspettare fine serata per dirglielo e festeggiare, e invece era diventato un premio di consolazione. Una carezza non voluta su un cuore infranto. Ma lei insisteva che quella era l'occasione giusta per lui, che valeva molto di più, che avrebbe trovato ragazze migliori di Carmencita. E se le pretendenti del programma non gli piacevano, tutta Italia l'avrebbe poi desiderato, quindi era solo questione di tempo. E chiodo scaccia chiodo, si sa, gli diceva Tamara, e mentre parlava Rafael si chiedeva chi glielo faceva fare a lei, di stare ancora lì, in devozione sincera, dopo aver passato tutta la sera a contare i fori sulle drink card, terrorizzata di dare il resto sbagliato.

Pensò che si meritasse almeno un croissant caldo. Così la caricò sulla Panda e andarono fino da Princi, in centro, perché è lì che va la gente giusta.

Bevvero un cappuccino.

Si misero a scherzare sul futuro televisivo di Rafael.

Bofonchiarono qualche stupidaggine di cui non si sarebbero più ricordati.

Alla fine si baciarono.

33

Per un attimo, Giacomo pensò che le gambe non gli appartenessero più.

Erano come sassi, insensibili, incapaci di muoversi. Si rese conto che Romeo l'aveva sopravvalutato. Non avrebbe mai messo in dubbio le sue capacità – toglietemi tutto, ma non Romeo – ma forse non era il caso di buttare un cinquantenne su e giù per i ponti con così poco allenamento. Anche se a lui, impalato nel letto di una suite torinese, non poteva fregare di meno. La delusione dell'incontro con Elena aveva lasciato spazio a un'eccitazione tutta adolescenziale. Per quanto non l'avrebbe ammesso nemmeno a se stesso, già durante il viaggio di andata sapeva che quella storia non lo avrebbe portato a niente. E non c'entravano né la distanza, né che fosse sposata, né che si fosse fatta viva troppo tardi. L'aveva semplicemente idealizzata: una cartolina incorniciata cui aggrapparsi ogni volta che ne sentiva il bisogno, quando l'autostima era sotto le scarpe o un cliente si permetteva di chiedergli se era sposato. E lui glissava, facendo intendere che una storia c'era. Ma era una cartolina. A volte una lettera, un biglietto di Natale. Come in *84 Charing Cross Road*, uno dei romanzi che l'aveva formato in gioventù.

Con il suo viaggio a Torino, aveva deciso di rispedire la cartolina al mittente. E ci era andato di persona, volutamente, accompagnato da quel presentimento. L'accoglienza terrorizzata di lei sicuramente non aveva aiutato, e Giacomo, da esploratore veneziano in terra sabauda, si era ritrovato rovinafamiglie. Ma l'infatuazione gli era servita per accantonare il pensiero di Salvo e il dolore per quella storia mai veramente conclusa. Un trauma che il tempo non era riuscito a nascondere.

Da un po' di giorni, invece, pensava a Frida. Se n'era accorto anche il suo quaderno, che qualcosa era cambiato. Non aveva più curiosità di raccontare le vite degli altri, solo annotazioni frettolose di dati e scontrini. Non squadrava nemmeno le scarpe dei suoi clienti.

Aveva cercato di negarselo, ma si stava innamorando, e se n'era accorto non appena un rivale era comparso all'orizzonte. Un rivale che Frida non faceva pagare, per il quale era disposta a tutto pur di dimostrare quello che era diventata: una trentenne *in love*.

Lui era impazzito solo all'idea. Sapere che qualcuno potesse avere il giocattolo gratis lo aveva ferito mortalmente.

E quando se l'era ritrovata a chiedergli di Rafael, aveva capito che era la donna che avrebbe voluto avere. Una ragazza che lui aveva sempre visto come un'aliena, la protagonista di un film vietato ai minori di cui, una volta a settimana, era protagonista anche lui. Lentamente, ma inesorabilmente, aveva iniziato a capire che quell'attrice porno a lui piaceva anche se era fuori dal suo ruolo e dal suo letto. Non a caso si era sentito sollevato quando, in quel sottoscala di Trezzano, Rafael gli aveva confidato che di Frida non gliene poteva importare di meno.

Si stava godendo il sole nascente, mentre nelle orecchie gli riecheggiava: "Domani sera non lavoro. Se vuole potremmo cenare insieme, messere".

Si toccò di nuovo le gambe e quasi non le sentì, tanto erano rigide. In particolare gli facevano male le giunture dietro le ginocchia, che non riusciva a piegare. La doccia lo illuse con un temporaneo sollievo e la colazione in camera gli evitò la scena claudicante in mezzo ai signori manager. Si sentiva ridicolo, a essersi ridotto in quello stato per un incontro che lo aveva deluso, anche se il vero movente di quella corsetta fuori programma era stata, più che Elena, la sua vanità. Telefonò a Romeo chiedendogli consiglio e soluzioni, sforzandosi di trattenere l'ira. Il personal trainer cercò di tranquillizzarlo con qualche battuta – *"ti vedarà che doman te xe passà tuto"* – e mentre trangugiava i primi bianchi d'uovo della giornata, gli suggerì grandi quantità di olio canforato.

Il risultato fu che sul treno di ritorno tutti lo guardavano come se fosse un deposito di naftalina.

Nel frattempo, Frida aveva confermato la cena per quella sera e Giacomo avrebbe tanto voluto svegliare la sua vicina, una signora che dormiva su *Harry Potter*. Se gli avessero detto che un giorno si sarebbe commosso per un simile invito, avrebbe pensato che gli esseri umani fanno troppo uso di stupefacenti.

Il viaggio trascorse dolorante, malgrado gli effetti lenitivi dell'olio canforato. Elena sembrava completamente sparita dalla sua testa. Gli tornò in mente solo all'altezza di Gardaland, quando vide scendere un po' di bambini.

Fu invece il fantasma di Rafael a tormentarlo. Se non avesse avuto le gambe come due bastoni, sarebbe probabilmente arrivato fino a Trezzano pur di sputare quel rospo che teneva in gola. Sentiva che non si stava comportando in modo leale, a nascondergli i nuovi sviluppi con Frida, ed era terrorizzato che questo potesse compromettere il loro rapporto. A Verona, lo chiamò.

«Pronto, Rafael?»

«CHI?»

«Rafael, sono Giacomo.»

«Ciao Giacomo sono Zazinho. Vuoi Lele, vero?»

«Già, vorrei Lele.»

«È fuori a fare un po' di spesa e ha lasciato il telefonino qui... ce l'hai ancora il bancomat con te?»

«Zazinho, perdonami, non ti ho nemmeno ringraziato. Sono un maleducato.»

«Cos'è questa voce moscia? Non è andata bene con la sciura?»

«Quale sciura?»

«Lele mi ha raccontato che andavi a Torino per vedere una sciuretta bionda. Ha cambiato idea all'ultimo? Tipico delle donne... ti chiamano e te la fanno annusare, poi quando ti vedono eccitato fanno tutto il cinema se non sei quello che pensavano... o se non hai la macchina che vogliono, e allora cominciano a storcere il naso e alla fine quando ci provi ti tirano una sberla perché dicono che sei aggressivo, 'ste troie...»

«...»

«Jack, ci sei? Jack? Jaaack?»

Aveva messo giù, e non era mai successo prima. "Non è obbligatorio sopportare tutto" si disse. Dietro quel gesto c'era la presa di coscienza di una persona che, fino ad allora, aveva messo sempre davanti gli altri. Ci era voluto il più lento dei treni per metterlo di fronte all'ovvietà che bisogna prima rispettare se stessi. E rispettarsi significa anche essere egoisti, perché l'ego è sacro – lo aveva letto su "Riza Psicosomatica" – e dobbiamo volergli bene a costo di lasciare gli altri appesi a un telefono che urlano "Jack-ci-sei?".

"Perché poi, in inglese?" si domandava Giacomo. Non potevano chiamarlo *Giacominho* che faceva tanto garzoncello di favela? No, avevano scelto Jack.

Sapeva però che a urtarlo non era stato il linguaggio diretto, ma che Rafael avesse spiattellato in giro gli affari suoi. Lui in realtà lo aveva fatto solo perché Jack ormai era parte del suo mondo: che poi chiamasse Elena "la sciuretta" era un altro discorso. In effetti, sciuretta era sciuretta. Riusciva finalmente a focalizzarla, mentre vedeva le campagne dal finestrino. Il suo volto, anche se curato, gli appariva distante. "Certi amori nascono all'improvviso, ma finiscono anche all'improvviso" aveva sentenziato una volta la signora Silvana. La ragione è ignota, o semplicemente cova nell'inconscio per poi manifestarsi d'un tratto, con una decisione netta e insindacabile: *game over*.

Se però non ci fosse stata Frida, e soprattutto la gelosia nei confronti di Rafael, Giacomo non sarebbe mai arrivato a quel livello di consapevolezza. Sarebbe stato uno zerbino nel tempo, pronto a farsi spupazzare dalla sciuretta una volta al decennio, quando lui pensava di essere omosessuale e a lei saliva la rabbia per una scappatella del marito.

Ora invece era tutto proiettato verso una nuova conquista, malgrado quella puzza di olio canforato che aveva stordito pure il controllore. Improvvisamente si sentì in colpa per aver lasciato la locanda dell'Abadessa, ma era solo alla ricerca di una preoccupazione qualsiasi, perché aveva il terrore di sentirsi, per una volta, completamente felice.

Chiamò uno dei ragazzi per sapere se la situazione era sotto controllo, voleva tenerli un po' sulla corda: «*Va tuto ben, signor, no ga da preocuparse*» gli risposero come si fa di solito con i vecchi rimbambiti, ma lui intuì che era successo qualcosa. Dopo un po' di insistenze, il ragazzo ammise che la signora Silvana era scoppiata a piangere davanti a tutti, inveendo contro un cliente che non si era alzato per lasciarle la sua poltrona nell'angolo. Ne aveva fatto prima una questione di principio, poi un dramma, che solo un Armagnac era riuscito a sedare. In realtà, pare che avesse trovato l'architetto mentre dava cinquecento euro alla badante, e lei aveva dato di matto. Al proposito, Giacomo non rilasciò alcuna dichiarazione.

Prima di mettere giù, chiese di prenotare un massaggio in camera.

34

Rafael tornò a casa dopo aver svaligiato l'Esselunga.

Andava sempre in quel posto a far la spesa, perché gli ricordava Giusy Ferreri.

La casa-cantina era il solito seminterrato di confusione e freschezza, testosterone e bollette. Zazinho si stava districando da un labirinto di passioni – due ragazze nella stessa sera – ed era pure in ritardo per la lezione di samba in parrocchia, per cui non lasciò nemmeno un appunto della chiamata di Giacomo. Sbranò tozzi di pane intinti nell'olio e uscì seminando briciole. Rafael, invece, si segregò in bagno per prepararsi a quella che sarebbe stata una serata da incorniciare. Dopo quell'alba finita a dormire in macchina, lui e Tamara avevano cambiato atteggiamento. Scherzavano ancora, è vero, ma non più come un tempo. Lui si sentiva in colpa per come l'aveva trattata in passato, lei cercava di non dare retta al suo cuore che già aveva preso ad accelerare. Rivedeva il film con Pino, e cercava di non ripetere gli stessi errori, perché il suo istinto le diceva che una speranza l'aveva. Così si era concentrata su un'unica missione: portare Rafael al provino di *Uomini e Donne*. Categoria: "Tronista". Dopo lunghe discussioni, lo aveva convinto, e nel giro di qualche giorno si erano ritrovati davanti agli studi di Cologno Monzese.

Il tempo di un paio di telefonate e li avevano forniti di pass numerati.

Avvertivano entrambi l'eccitazione di inserirsi in un luogo proibito. Alla prima porta li avevano separati: le "star" da una parte, gli "accompagnatori" dall'altra. Rafael le aveva detto di aspettarla lì, che tanto il colloquio non sarebbe durato più di mezz'ora. Lei lo aveva salutato come Rossella avrebbe salutato Ashley.

"Non può sparire come Pino."

"Non può sparire come Pino."

"Non può sparire come Pino."

E infatti riapparve. Dopo cinque minuti. «Troppi tamarri» le disse. E lei, rigida, aveva cercato di persuaderlo a cambiare il suo destino, mentre Ashley la spingeva fuori da lì. Per mangiare pizza al taglio e crocchette di patate.

Seduto su uno sgabello della Coca-Cola, Rafael aveva provato a immaginare che faccia avrebbe fatto, Regina, se l'avesse portata in un posto così spartano. Gli avrebbe semplicemente detto: "Vieni spesso qui?".

Invece Tamara aveva reso quell'angolo di tavolo un giardino all'italiana: si era fatta dare uno straccio e aveva pulito le briciole. Poi aveva aperto un fazzolettino per farne una piccola tovaglia. Si erano dedicati un brindisi con la Fanta. Come non lasciarsi conquistare?

Ma Regina non era ancora sparita del tutto.

Chiuso nel bagno di casa, mentre metteva un po' di crema sul viso, Rafael rivide i suoi occhi dell'ultima sera e gli salirono i nervi. Guardandosi allo specchio, finalmente si chiese: "Come faceva a piacermi?". Gli fu d'improvviso chiaro che quello che amava, di lei, era solo il personaggio. Se invece ripensava a Tamara e ai suoi strass, sentiva che una nuova telenovela stava per cominciare.

In fondo, aveva solo ventiquattro anni, l'età giusta per sentirsi leggeri e pesanti, adulti e ragazzi. L'età giusta per cambiare ancora idea. Ciò che poi l'aveva sedotto, di questa chiassosa sgarrupata, era la completa assenza di aspettative nei suoi confronti.

E ora si ritrovava lì, con la spesa dell'Esselunga sul tavolo, a preparare la prima cenetta per Tammy: riso, carne, fagioli, insalata. Mancava il cartello MENU DO BRAZIL A 12.90 e il piatto era servito.

Un *early dinner*, come l'avrebbe chiamato se avesse saputo darsi un tono, perché alle otto spaccate si sarebbero dovuti presentare al Tonga Bar. Quando suonò alla porta, corse a mettersi le scarpe ai piedi, prima di aprire, e per prudenza controllò il sorriso allo specchio.

Tamara era scintillante nella sua *mise* che sarebbe andata bene nella vecchia Berlino Est: stivali bianchi a frange, vestito nero con cinturone, trucco pesante, orecchini in tinta col trucco. Ma aria felice. E non c'è niente di più elegante di un viso felice.

Cenarono alle sei di sera, la candela piantata dentro un bicchiere, ascoltando Chico Buarque. Lei aveva portato una teglia di melanzane alla parmigiana che le aveva preparato sua madre, e ne era molto orgogliosa.

«Sai cosa pensavo, Lele?»

«Cosa?»

«Che la vita è proprio un gioco strano. Tu pensi di fare contente le persone, cercando di capirle e di capire cosa vogliono. E poi scopri che non c'entrano niente con l'idea che nella tua testa ti eri fatto della loro immagine.»

«Puoi dirmelo in italiano?»

«Dài, Lele. Non mi sfottere che me la prendo. Ti sto dicendo di *Uomini e Donne*. Io ero troppo convinta che tu saresti stato felice di fare il tronista, e pensavo anche che ti avrebbe cambiato la vita... mai avrei pensato che te ne saresti andato.»

«Vuoi sapere la verità? Ho mollato tutto perché mi è venuto un attacco di fame. E io quando ho fame non vedo più niente. Devo solo mangiare.»

«Ma se me lo dicevi ti andavo a prendere dei tramezzini... altrimenti l'avresti fatto il provino?»

«Non lo so. Ma ti posso dire? Chissenefrega.»

«E poi comunque il tuo destino ti darà altre possibilità, l'ho letto in un libro che mi ha cambiato la vita: *L'Alchimista* di Paulo Coelho. Dovresti leggerlo.»

«Guarda che è uno scrittore brasiliano famosissimo. Lo conosciamo tutti.»

«Scusa... ti sto dicendo cose troppo banali.»

«No. Mi stai dicendo che forse ti sei innamorata.»

Un momento di imbarazzo investì la stanza perché Cupido, quando arriva, si presenta sempre all'improvviso.

«Ti piacciono le mie melanzane?»

«Sì... però sembrava che non ti fidassi della mia cucina. Pensavi che ti avrei fatto finire all'ospedale?»

Tamara guardò quella tavola imbandita di riso e fagioli, carni in umido e insalatone.

«Ma no, a me piace mangiare all'ospedale...»

«???»

«Una volta ci sono stata una settimana per le tonsille. Solo io potevo togliermi le tonsille a trent'anni.»

Anziché ridere, Rafael strabuzzò gli occhi.

«Trent'anni? Tu... hai... più di trent'anni?»

«Io... non credo.»

«Che cazzo vuol dire "non credo"?»

Tamara sorrise impaurita. "È ancora in tempo per partecipare a *Uomini e Donne*. È ancora in tempo per lasciarmi perdere." Si vedeva già sul tetto del Pirellone a salutare tutti dicendo: "È stato bello conoscervi".

«Lele... non si chiede l'età a una signora...»

«A una signora no, ma a una che ti dice che ha ventisette anni sì.»

«Dico tante cose, a volte sono sovrappensiero. Che cosa ti cambia se ho trentaquattro anni?»

«Mi cambia che...»

«Che???»

«...»

«...»

«Che potevi dirmelo.»

Lui sapeva benissimo che, se l'avesse saputo, non sarebbe stata la stessa cosa, o forse no, era confuso.

«C'è altro che non so?»

«No.»

«Sicura?»

«Ho una figlia di quindici anni.»

«???»

«No, dài scherzo! Ma mi piacerebbe. Sai, ho un'età, l'orologio biologico, quelle cose che scrivono su "Cosmopolitan".»

L'orologio biologico al primo appuntamento avrebbe spaventato chiunque. Ma Rafael, quando non voleva capire, dava tutta la colpa alla lingua.

Tamara gli fece una carezza per riportare il discorso sui toni iniziali. Temeva che lui sentisse quanto le piaceva, ma ormai era tardi. "La vita è proprio un gioco strano" gli aveva detto, e lei ne era sempre più convinta. Ma come aveva fatto a non vederlo prima, quanto era figo Lele? Non riusciva a capacitarsene. In realtà lo aveva visto, eccome, ma non avrebbe mai pensato di poter essere vista anche lei.

Una volta l'aveva invitata a una partita dell'Atalanta e lei aveva risposto che a casa sua tifavano tutti Juve, quindi non le interessava.

Durante quei mesi di lavoro insieme, non l'aveva mai frequentato, ma solo consigliato, consolato e soprattutto difeso dalle sanguisughe che stavano a fissarlo con la faccia che dice "scopami, please". Certo, qualche volta aveva ceduto anche lei, a un po' di petting nei bagni, ma era più un divertissement erotico che un sentimento vero e proprio.

«Tamara, vorrei essere sincero con te.»

«È giusto. Dimmi.»

«Sai, preferisco essere chiaro piuttosto che poi non ci capiamo e nascono dei fraintendimenti.»

«È giusto. Dimmi.»
«Sai che sei il mio amore?»
«...»
«...»
«Davvero?»
«Te lo giuro sul Santos.»
«...»
«Ehi, Tammy... cosa fai? Piangi?»

Piangeva, la povera Tamara. Si aspettava il peggio, senza sapere che il peggio non arriva in genere a lume di candela, davanti a un ragazzo che tiene le scarpe in casa e ha cucinato per te riso e fagioli. Ma era troppo tesa e non aveva retto. Il trucco le colava giù come un amico che ti volta le spalle proprio quando non dovrebbe, e mentre lui le asciugava le lacrime lei aveva il terrore delle zampe di gallina – le vede e mi lascia – e proprio quando il gioco della vita non le piaceva più per niente, lui le stava baciando il collo, tenendole ferma la testa, come se dovesse iniettarle un veleno letale.

Il cellulare, d'improvviso, iniziò a cantare *La vida loca* di Ricky Martin, ma nessuno dei due ci badò. Giacomo, dall'altra parte, attendeva paziente.

Finirono sul divano letto con una dolcezza che non avevano ancora sperimentato, come fosse una prima notte di nozze. I movimenti lenti, i baci lunghi, i preliminari, gli stivali bianchi lanciati in un angolo, il tonfo del cinturone. Ci presero gusto, i due, incuranti che Zazinho potesse rientrare da un momento all'altro con una delle sue squinzie che rimorchiava all'oratorio.

Fu di nuovo Ricky Martin a riportarli alla realtà.

Era il titolare del Tonga Bar su tutte le furie perché né lui né Tamara erano ancora al loro posto.

35

Il massaggio gli aveva dato un po' di sollievo, anche se Giacomo era su tutte le furie per aver sfidato gli anni e la propria resistenza.

Stava seduto in poltrona a cercare di riprendersi, mentre consolava la signora Silvana – due prosecchini a testa – disperata perché l'architetto voleva veramente sposare la badante. "Che male c'è se ci vogliamo bene?" le aveva detto la Liuba, e lei aveva pensato di avvelenarla. Aveva capito subito che i due non gliela contavano giusta, che facevano troppe passeggiate in solitudine, stavano troppo tempo a chiacchierare davanti ai biscottini: «*Lo so mi dove che el voria tociar... el biscoto!*» commentava con i vicini. E poi le aveva organizzato la festa per la sua amica. E poi le aveva regalato un gioiello di famiglia. E i soldi. L'architetto, in pieno delirio senile, ci era cascato. «Adesso vado dai carabinieri» urlava a Giacomo. «E poi voto Lega!» aggiunse fuori di sé. A lui veniva da ridere, ma non poteva cedere. Continuava a riempirle il calice perché sapeva che le avrebbe dato conforto.

In effetti, la signora Silvana si calmò: «Fino a che non si sposano posso stare tranquilla. E ho già detto al direttore della banca di stare all'erta sui movimenti». Ogni tanto rideva di se stessa, mentre dissertava su come si avvelena una badante con la polvere per topi, e a Giacomo quelle parole parevano lenirgli i dolori articolari. Quanto era lontana la suite del Golden Palace che aveva appena lasciato. Torino, Elena, l'amore per corrispondenza finito all'improvviso, alimentato dalla fragilità di una mente distorta. "Si può amare solo ciò che si conosce veramente o si ama solo ciò che ci fa volare? La risposta è nelle mille storie che ci circondano" si diceva Giacomo pensando ai suoi clienti, "ognuna diversa, ognuna credibile e incredibile al tempo stesso." E ciascun amore, ormai ne aveva la certezza, ha una foto che lo racconta.

A volte se le immaginava in posa, le coppie che passavano dalla locanda: sorridenti, impacciate, stucchevoli, avvinghiate. Ma in cuor suo era convinto che ciascun amante avrebbe scelto una foto, e una soltanto, per ricordare quell'amore. Non si poneva il problema che magari altri, come lui, non amassero essere fotografati. La sua Polaroid con Salvo era la prova che anche una storia impossibile ha la fortuna di restare nel tempo.

Erano però passati talmente tanti anni che a Giacomo, di quella storia, restava solo il rimpianto di non averla chiarita, di non averla capita, di averla evitata e basta. Restava solo il dispiacere. Si era spaventato per un corpo troppo vicino e troppo uguale al suo.

Prima di tornare in sé, emise un lungo sospiro.

Si congedò dalla signora Silvana, che andò a *controlar cossa ghe mete la Liuba ne la minestra*, si trascinò in bagno e riempì la vasca. Ci mise dentro un tappo di bagnoschiuma Vidal. Mentre godeva dell'odore, pensò a quanto avrebbe inquinato con tutte quelle bolle al pino silvestre, ma ormai era tardi.

Durante l'ammollo gli tornò il sorriso. Si sfinì di sms con Frida per scherzare sulla loro serata insieme, come se non aspettassero altro. La puttana a cena con il portiere sarebbe stata impensabile anche per *Pretty Woman*, troppo presa dalla sua ambizione hollywoodiana per capire che il principe azzurro, in realtà, non era Richard Gere, ma il direttore che le aveva insegnato a usare le posate.

Si incontrarono davanti al suo bacaro preferito. Giacomo era riuscito ad avvicinare l'appuntamento all'Abadessa per evitare che l'acido lattico gli desse la mazzata finale. In realtà, stava meglio. Il Polase unito al massaggio cominciava a fare effetto, anche se sarebbe stata necessaria un'ulteriore notte di sonno. Erano entrambi irriconoscibili: Giacomo in giacca e cravatta e brillantina, che gli dava un tocco retrò; Frida in pantaloni e tacchi, un cappottino bianco di pelliccia sintetica. Vedendola arrivare con quelle falcate, ebbe un momento di esitazione – gli tornò in mente che non aveva avvisato Rafael – ma riuscì a vincere la tensione pizzicando la gamba già dolorante. Nessuno dei due aveva regali con sé perché nessuno dei due voleva credere a quello che stava accadendo. Di fatto, erano a un primo appuntamento.

«Allora, dove mi porti, baby?»

L'aveva chiamato "baby", e lui si sentiva dentro un film. Dentro *quel* film. Stava fregando Richard Gere, e Julia Roberts era d'accordo con lui.

«Alla Vecia Cavana, che dici?»

«Mmm... schie con la polenta...»

«Lo conosci?»

«*Ara che so venexiana... cossa ti credi?* E poi ho due clienti che amano portarmi più lì che a letto.»

Giacomo s'irrigidì. Uscì di colpo dal film e tornò, per un attimo, a fare lo spettatore. Cosa ci faceva con lei? Dove voleva arrivare? Quelle parole così lontane dai suoi modi e dal suo mondo lo avevano messo in crisi. Cercò di rimanere a galla restando zitto, ma la paura si fece rapidamente strada: per Frida quella con lui poteva essere un'altra cena di lavoro, che sarebbe finita con cento euro dentro una busta. Si passò una mano tra i capelli piantandosi le dita nella brillantina.

«Giacomo? Tutto ok?»
«Sì, certo. Sono solo un po' stanco.»
«Vedi? Questa è la prova che uomini e donne, quando non vogliono rispondere, dicono che sono stanchi.»
«O che hanno mal di testa.»
«O che non hanno dormito.»
«Hai ragione, ma non è il mio caso.»
«È il tuo caso, perché io ti conosco, mascherina.»
Provò a ricordare il sorriso che Rafael aveva immortalato col telefonino, ma non gli venne altrettanto bene. Ciò che sentiva in cuor suo, in quel momento, era solo disagio. Arrivati al ristorante, Frida puntò i piedi come se avesse qualche momento di esitazione, e Giacomo si bloccò accanto a lei: "Avrà visto l'assessore-porco o l'uomo-lavatrice?".
Fu il telefono a toglierlo dall'imbarazzo:
«Pronto, chi parla?»
«Ehi Jack, sono Rafael.»
Panico.
«Ma... da che numero mi chiami?»
«Da quello di Tamara, che io ho finito il credito.»
«Chi è Tamara?»
«Come chi è Tamara? La cassiera del Tonga, lei si ricorda bene di te.»
«Ah, lei, certo, salutamela.»
«Tammy? Ti saluta Jack... adesso stiamo assieme... Anche se ci siamo presi un cazziatone dal titolare perché siamo arrivati in ritardo... e tu, che combini?»
Panico. Glielo dico o non glielo dico?
«Sto andando a cena con Frida.»
Glielo disse.
«Ehi, questa sì che è una notizia... attento però a non innamorarti.»
«E... e... e perché?»
«Perché potresti farti male.»
«...»
«Jack, ci sei?»

«Sì, ci sono.»
«Avevi paura a dirmelo, vero?»
«Sì.»
«Ti sbagli. Io ti avevo capito subito... ma adesso vai, non si lascia aspettare una donna al primo appuntamento. E poi sono al telefono di Tammy, e anche lei ha poco credito.»
Giacomo riattaccò e vide Frida con l'aria scocciata, come se l'atmosfera si fosse di colpo incupita. Aveva perso quella maschera che indossava a casa sua i mercoledì pomeriggio.
«Chi era al telefono, che ti sei quasi nascosto?»
Glielo dico o non glielo dico?
«Era uno dei ragazzi dell'Abadessa... un problema con un cliente.»
Non glielo disse.
«Frida... allora mi spieghi perché non vuoi entrare al ristorante?»
«Non lo so, non mi va. Non so nemmeno se ho fame.»
«Se vuoi ci prendiamo uno spritz e due cicchetti da qualche parte.»
«Spritz e cicchetti a me? Giacomo, non ti facevo così banale.»
Ritrovarono finalmente la complicità.
«Ebbene sì, sono banale.»
«Hai mai cenato da McDonald's?»
«Intendi quel posto con la "M" gialla?»
«Esatto. La globalizzazione, il colesterolo, quella roba lì.»
«Non ne ho mai avuto il coraggio.»

Frida dissolse ogni dubbio, come se il gioco avesse avuto il sopravvento su tutto. Prese Giacomo sottobraccio – rivoleva il contatto – e allungò il passo come solo i veneziani sanno fare.
«Dài, su, bello, devi muoverti...»
«Perché, chiudono alle otto?»

«Ma no. Però un uomo della tua età non può aspettare un minuto di più prima di assaggiare un McChicken.»
«Veramente io... ho male alle gambe. Sono vecchio!»
«Smettila di lamentarti e cammina.»
Dalla Vecia Cavana a McDonald's in pochi minuti. Dalla Venezia della tradizione all'America dell'occupazione. Erano anni che Giacomo puntava quel fast food: ammirava la gente felice che mangiava lì. Li osservava camminare con quei vassoi, sorridere ai tavoli, gustare con le mani prelibatezze piene di salse. Era stato tentato molte volte di entrare, e alla fine aveva sempre rinunciato. Ma la sorte gli era stata amica. Appena varcato l'ingresso, più che in paradiso, gli parve di entrare in una friggitrice. La gente ai tavoli sembrava molto più mesta che vista da fuori. L'unica a sorridere, ma poco, era la cassiera che prese le ordinazioni, felice di sentir finalmente parlare in veneziano.
Si sedettero al tavolino più appartato, cercando di ritagliarsi una piccola oasi.

«È inutile che ti guardi in giro, non puoi mangiare un McChicken con le posate.»
«Okay, ci provo.»
«...»
«...»
«Come ti sembra?»
Giacomo non parlava più, la bocca piena, il buonumore ritrovato, le gambe ormai andate da un pezzo ma l'avevano portato fino lì, e questo era l'importante.
«Buono, anzi ottimo.»
«Ed è così da sempre. Stessa foglia d'insalata, stessa salsina che ti cola. Peccato per la gente triste.»
«...»
«...»
«Pensavi che fosse una serata di lavoro, vero? »
Il McChicken gli andò di traverso.
«No, Frida... perché dici questo?»

«Ho visto come mi hai guardato quando ho detto che lì ci andavo con i miei clienti... hai pensato di essere un cliente anche tu, vero?»

«...»

«...»

«Ma tu non mangi niente?»

«Non cambiare discorso, Giacomo.»

«Frida, mettiti nei miei panni. Cosa devo pensare con te? Ci siamo conosciuti per... come dire...»

«Per lavoro.»

«Per lavoro, esatto. Poi ti sei invaghita di un ospite della locanda, e grazie a lui ti ho conosciuto sotto un'altra luce. E quando stiamo per conoscerci meglio e andare a cena, inizi a parlarmi degli altri tuoi clienti... capisci che per me non è facile...»

Aveva parlato senza prendere fiato, con il terrore di sputacchiare, ma con il coraggio di dire cosa pensava. Frida non sapeva che rispondere. Avrebbe voluto soltanto raccontargli dell'ultima sera con Rafael, di quando le aveva spinto la nuca sul suo pisello, e lei ad assecondarlo come con un pappone. Senza baci, né carezze, né giochi, il sesso nella sua esecuzione più diretta. Non era questo che avrebbe desiderato da una storia, ma sapeva di non poter ottenere di più. Aveva però proprio voluto toccarlo, il fondo, altrimenti non si sarebbe mai messa a risalire. Ed era stato uscendo da quella camera che aveva capito di aver sbagliato stanza.

Purtroppo lavorava con il corpo, e il corpo era l'unica cosa con cui si sapeva relazionare: aveva sempre a che fare con uomini nudi, e non c'era mai tempo per conoscere il resto. Potevano essere intelligenti, geniali, malinconici, esuberanti, prepotenti, ironici. Ma per lei erano solo grassi, magri, flaccidi, sodi, puliti o stantii. Anche di Rafael l'aveva colpita l'aspetto fisico. Colpita e affondata con un sorriso.

Giacomo era stata la prima persona, da che si prostituiva, che l'aveva incuriosita per il suo carattere. Silenzioso, metodico, rassicurante, distante. Purtroppo era un cliente, e non ci s'innamora di un cliente. Le era capitato solo una volta, con Mario, ed era stato devastante. Viveva in funzione che lui la chiamasse, la raggiungesse, la stuprasse in quella mezz'ora in cui saliva sulle montagne russe felice come non mai. Si rabbuiava solo quando lui provava a pagare il giro di giostra, e lei diceva "offre la casa", nell'illusione che qualcosa cambiasse.

Giacomo non poteva essere così.

L'aveva protetta e ascoltata. L'aveva aspettata. Era andato a Milano solo per cercarle un numero di telefono. E mentre per una ragazza comune tutto ciò si sarebbe trasformato in un'amicizia senza amore, lei aveva iniziato a farci un pensiero, poi se l'era sognato, e quando lui aveva trovato il coraggio di chiamarla, aveva deciso di farlo capitolare.

Ce l'aveva di fronte e conosceva tutti i trucchetti per sedurlo, ma quella sera voleva arrivare a lui senza scorciatoie.

Davanti a un McChicken pieno di grassi, l'unica cosa che avrebbe davvero voluto, dopo la citrosodina, era un po' d'affetto.

36

La laguna sembrava evaporare dentro la nebbia.

Luci gialle galleggiavano spaesate e davano alle Fondamente l'aspetto di un quartiere lunare. Potevano essere le sette di sera come le cinque di mattina. Giacomo e Frida ci erano arrivati ciondolando, dopo i panini al pollo, vagando come due abitudinari che vogliono fare la stessa passeggiata. Si erano trovati senza aver mai pensato di cercarsi, ecco la verità. In passato avevano fatto molto sesso e qualche acrobazia, ma senza mai darsi un bacio. Quella sera finalmente ci riuscirono. Accadde davanti alla saracinesca della Coop, la passione inquinata dai panettoni con il concorso che ti porta alle Maldive. Rimasero lì incapaci di parlare, quasi impauriti, irrigiditi dal freddo e dalla stanchezza. Non volevano andare oltre e non potevano più stare lì, come se un bacio per strada non fosse adatto per due ragazzi come loro. Si desideravano ma al tempo stesso si temevano. L'atteggiamento poteva essere comprensibile per un inquieto come Giacomo, ma era del tutto sorprendente per Frida. In realtà, era una ragazza molto più comune di quanto apparisse.

«Hai freddo?»

«Sì, tu?»

«Io...»

«Tu cosa?»

«Io...»
«Tu?»
Quando ci si bacia non c'è mai modo di finire una frase, perché ogni parola detta è solo una scusa per riprendere fiato e tornare lì, a dove si era rimasti e dove si vorrebbe restare. Ormai non si parlavano quasi più. Erano nella beata condizione in cui non ti poni domande, perché te ne sei già fatte troppe, e inutili. Quindi ti basta quello che hai.
Fu invece la stanchezza a tradire lui. Due giorni trascorsi fra treni, delusioni e ormoni – senza contare la corsetta per le calli – lo avevano massacrato, e il cedimento era stato improvviso e incontrollabile.

«Scusami, Frida. Scusami tanto.»
«Ma no, figurati, sbadiglia pure. Lo so che sono noiosa.»
«Non...»
Smack.
«È...»
Smack.
«Vero...»
Smack.
E sbadigliò di nuovo, come un bambino disobbediente. Ci risero su, mentre decidevano di tornare verso la locanda. Si tennero per mano un po' impauriti, come clandestini. In realtà, era la loro prima volta. Nessuno dei due, da che erano diventati veramente adulti, aveva mai vissuto una situazione simile.
Arrivarono in vicolo Priuli e a Giacomo cominciarono le paranoie. Non se la sentiva di farla salire in camera – non aveva rifatto il letto – ma non sapeva neppure dove trovare le energie per accompagnarla a Castello. Se in quel momento gli avessero giurato l'amore eterno a patto che portasse Frida a casa, avrebbe rinunciato all'amore eterno. Come venir fuori da quella situazione senza perdere la faccia? Giacomo aveva gli

occhi del concorrente che rinuncia a rispondere alla domanda milionaria.

«Stai per dirmi che sei stanco, che hai una certa età, e che non ce la puoi fare ad accompagnarmi fino a casa, vero?»

«Ma veramente...»

«È questo che vorresti dirmi, no?»

«Veramente...»

«...»

«Veramente io... non ho "una certa età"!!!»

Il bacio riprese potente, con il suo destino indeciso. "Non si può" pensava in cuor suo Giacomo, "non si può sopravvivere quasi cinquant'anni e poi esplodere all'improvviso, come se il silenzio, in realtà, avesse covato la *revolución*." Ma Giacomo non riusciva a pensare perché era troppo concentrato su quella bocca che gli aveva fatto vedere le stelle, in passato, ma mai in quel modo lì. Le gambe ormai andavano per conto loro, povere, mentre le mani intrecciavano i capelli nella testa di lei, le dita curiose e dolci. Sentì qualcosa riempirgli i pantaloni ed ebbe il terrore che lei lo sentisse, per cui si allontanò di scatto.

«Sono un po' stanco, Frida. Devo andare.»

«Non direi... da quello che ho sentito, non direi.»

Giacomo si sentì sprofondare.

«Ma io... non volevo...»

«Giacomo, guardami in faccia. Fino a poche settimane fa venivi a trovarmi con i pantaloni quasi sbottonati. So bene cosa provi e come sei. Il fatto che stasera succeda questa cosa... voglio dire, non possiamo dimenticare chi siamo.»

«Ma io non sono quello che tu vedevi.»

«È per questo che ti sto baciando.»

Ripresero il discorso quasi in posa, Frida con la gamba appoggiata al muro, la quindicenne al liceo. Un rumore di passi li svegliò dal sogno, che di colpo si tramutò in incubo, almeno per lui. Uno dei ragazzi aveva appena finito il turno e stava tornando a casa. Provò a far finta di nulla, ma la situazione, pur innocente, era imbarazzante. Giacomo raccolse le forze per cercare la cravatta sotto il cappotto, come se quel gesto lo potesse riportare ai blocchi di partenza. Il più in difficoltà, in realtà, era il ragazzo, mortificato dall'essere passato proprio da lì.

«Buonasera signore, buonasera signora Frida.»

«Buona... buonasera.»

Dovette prendere la rincorsa prima di rispondere. Il ragazzo l'aveva visto baciarsi con quella lì e stava andando già via, a prendere il vaporetto notturno. Avrà sicuramente pensato che la stesse pagando.

Frida si allontanò di qualche passo. Conosceva intimamente gli umani per non intuire cosa provasse il suo cavaliere. "Riecco la parte brutta di *Pretty Woman*" si disse, rivedendo la Julia che lascia i soldi sul letto e i Roxette che cantano *It Must Have Been Love*. Ma Frida aveva sottovalutato che anche Giacomo conoscesse intimamente gli umani.

«Scusami, non dipende da te. È che loro non mi hanno mai visto baciare una donna...»

«Perché un uomo sì?»

«Smettila, cara, hai capito cosa voglio dire.»

Lo disse tutto d'un fiato, ma si sentiva sprofondare.

«"Cara"? Mi stai chiamando "cara"? Non sono mica tua nipote!»

«Come vuoi che ti chiami, allora?»

«Frida.»

«Scusami, Frida... capisci? Loro non sono abituati a vedermi in intimità.»

«Anche se non hai il coraggio di dirlo, per un attimo ti sei vergognato di me.»

Seguirono istanti senza parole né baci. A Frida era venuta una gran paura. Cosa stava facendo lì, anziché essere in hotel a macinare soldi per acquistare un'altra casa che avrebbe poi affittato ai turisti? Aveva scelto di agire senza fare calcoli, di tornare la ragazza che si butta nelle cose e le vive come le sente. Era stata una bellissima serata, ma che si stava rovinando sul finale. Se l'avessero terminata con il sesso, sarebbe finito tutto, ne era certa. Meglio restare sospesi a quel bacio da cartoon tra Candy e Terence.

Giacomo la vide partire inerte, e la guardò fino a che non si dileguò dietro l'angolo. Sperava si voltasse ancora una volta, per una conferma che ormai bramava, ma lei non si girò. Era una donna esperta e, pur preoccupata, aveva la determinazione di vederlo strisciare ai suoi piedi. Lui, in realtà, era capitolato.

Quando rientrò alla locanda, gli altri ragazzi erano stati già informati. Nessuno gli chiese com'era andata la serata come facevano di solito. Ma, in cuor suo, Giacomo era contento così.

37

La vigilia di Natale giunse come una furia su Elena e la sua piccola vita.

Le ultime due settimane erano volate. Grazie a un impegno forsennato, era riuscita a partecipare a sei cene in sette giorni di fila: quella con le compagne del D'Azeglio; quella con le "colleghe" di via della Rocca; quella con le amiche del bridge; quella con le amiche della Bilancia; quella con le amiche del Lions; quella con gli amici di Alassio.

La cena del "Gruppo Vacanze Alassio" era l'unica cui potevano partecipare anche i mariti, e lei se la godeva come una minuscola trasgressione.

Ai clienti più affezionati offriva un aperitivo in negozio a ridosso della grande cena del ventiquattro, che organizzava a casa sua un anno sì e un anno no, alternandosi con la cognata con cui era in competizione su tutto, dai regali che si scambiava con il marito – l'Ingegnere 2 – alle *mise* delle figlie che avevano più o meno la stessa età delle sue.

Sembravano le famiglie dei serial anni Ottanta, con i sorrisi davanti e i coltelli dietro. In realtà, le cognate avevano piccole rivalità legate più alla noia che a vere e proprie questioni. Erano due insicure croniche sposate a uomini pieni di sé, che anziché rafforzare la propria autostima miravano a minare quella dell'altra.

Per quella cena Elena aveva scomodato il solito catering delle grandi occasioni – non si bada a spese – ma aveva anche voluto deliziare gli ospiti con un'anatra all'arancia fatta con le sue manine.

Oltre alla cognata, a suo marito e alle figlie, erano attesi anche la suocera e un paio di cugini dell'ingegnere con bionde mogli al seguito senza prole, tutte e due dello Scorpione. In tutto, una quindicina di ospiti poco chiassosi e pieni di regali. Le pupe stavano al loro tavolo formato Barbie, con le polpettine e tutte le frittelle di cui ti puoi ingozzare alla loro età. Gli adulti erano invece in mezzo a candelabri e bicchieri di cristallo, posate d'argento, i pizzi di Bruges e Barolo a gogò.

Alle sei del pomeriggio la tavola era già imbandita e perfetta, l'anatra pronta per l'ultimo viaggio a 180 gradi, il cameriere in divisa per servire leccornie anticipate.

Elena si rifugiò in camera per un bagno prima della serata. Giorgetto le aveva ripassato la messa in piega mentre per il trucco avrebbe fatto da sé, le piaceva imbellettarsi da sola. Accarezzò lo scrittoio con un dito, cosa che faceva quando voleva rilassarsi, e in bella mostra, come chiedeva di solito, vide l'ultima tornata di posta: gli auguri di Gurlino, una multa arretrata, un lungo papiro della vicina di ombrellone, il biglietto della portinaia e una lettera dalla calligrafia inconfondibile. La consistenza era quella di una cartolina, e così sembrò all'apparenza, ma quando l'aprì col tagliacarte si ritrovò per le mani una piccola lettera scritta su cartoncino.

Mia cara Elena,

scusami se finalmente passo a darti del tu anche per scritto, ma mi parrebbe inopportuno ritornare al lei dopo le ultime confidenze. Mi spiace farmi vivo solo ora, ma ho pensato che una mia chiamata potesse non essere gradita, per cui ho atteso qualche giorno prima di scrivere, e se la cosa ti dispiace ti prego di cestinarmi subito. Vorrei ancora rin-

graziarti per la tua ospitalità a Torino, anche se avevo sottovalutato le complicanze di una donna impegnata e in vista come te, per cui perdonami se sono apparso goffo o sorpreso, semplicemente mi trovavo in una situazione insolita, e questo mi ha procurato qualche imbarazzo.

Immagino sia difficile – perché la vita ci pone sempre delle scelte – ma mi piacerebbe restarti amico, anche un semplice amico di penna, come in realtà siamo sempre stati in tutti questi anni.

Se non mi risponderai, come immagino, capisco perfettamente la tua posizione e non riceverai più mie missive.

Attualmente sto trascorrendo un periodo inatteso e felice, e la locanda sta registrando il tutto esaurito in vista del Capodanno. Spero davvero che le mie parole possano giungerti prima di Natale, in modo che possa arrivarti chiaro e forte un mio abbraccio carico di affetto per te e per la tua famiglia. Se desidererai tornare a farci visita anche con tuo marito sarai sempre un'ospite gradita, e troveremo il modo di offrirti le nostre stanze migliori.

Nel frattempo mi congedo, e ti stringo.

Buon Natale.

Giacomo

Elena non sapeva se essere felice o triste. Era o non era una bella lettera? C'era qualcosa che la infastidiva, ma non capiva cosa. Dopo la rocambolesca avventura al Golden Palace – "mai più" aveva detto al commesso: "mai più" – aveva cercato conforto nelle sicurezze familiari. La botta di vita se la prendeva dal negozio: un pomeriggio erano arrivate due clienti parigine e lei già si vedeva a vendere chincaglierie in Rue de Rivoli.

A Giacomo non aveva più pensato. O meglio, non ci avrebbe più voluto pensare. Troppe complicazioni e soprattutto troppi rischi, non si possono mettere in discussione vent'anni di matrimonio per un'avventura, anche se sognata a lungo come in un romanzo.

Ma quella lettera le aveva lasciato un retrogusto amaro, come se la questione l'avesse di fatto chiusa lui e non lei, con quel "mi piacerebbe restarti amico" che le suonava come un'offesa. Ma chi si credeva di essere? Avrebbe voluto telefonargli per aggredirlo, per riaffermare il suo territorio, ma poi lasciò perdere, era pur sempre la vigilia di Natale.

«Signora?»
«Sììì???»
«C'è sua cognata al telefono... si scusa ma arriverà un po' in ritardo perché è imbottigliata nel traffico.»
«Le dica pure che non c'è problema, tra l'altro devo ancora fare il bagno per rilassarmi.»
«Va bene, glielo riferisco. Con permesso.»
Ripose gli auguri nella busta e li nascose nella sua scatola delle meraviglie, pensando a quella cafona di sua cognata, che si riduceva ad acquistare i regali all'ultimo e si presentava sempre con le solite cose.
Decise di non farsi innervosire e s'immerse nella vasca piena di sali. Chissenefrega di Giacomo, si ripeteva. Giustamente, non essendosi più fatta viva, lui aveva interpretato i fatti come era logico che fosse e ora, educatamente, poneva le distanze. Ma mentre cercava di scacciarlo dai suoi pensieri, le salì il rimorso di non aver ancora confessato il suo peccato.
Uscì di fretta dalla vasca e telefonò a padre Maurizio.
«Sì pronto?»
«Padre, sono Elena Barsanti.»
«Buonasera Elena, tanti auguri... ma non vi vedo domattina, alla messa delle undici?»
«Certo, padre. Ma vorrei confessarmi prima che arrivi domani.»
«Io adesso sono impegnato con i ragazzi che canteranno alla messa di mezzanotte.»
«Ma non mi può confessare al telefono?»
«Signora Barsanti, le vie del Signore sono infinite

ma io non ho mai confessato nessuno per telefono. Dovrei chiedere al vescovo, e dovrebbe esserci un motivo particolarmente serio. Ma sono sicuro che il Signore la perdonerà anche se si confessa domattina... e sicuramente apprezzerà questo suo gesto.»

«La ringrazio... ma non mi dà neanche una preghiera da dire?»

«Lo faccia secondo coscienza.»

Elena sentì che padre Maurizio aveva altro cui pensare, e questo la sollevò. Se Dio non l'avesse perdonata, un po' di responsabilità sarebbe stata anche di chi non l'aveva voluta confessare.

Dopo aver pregato, decise di non farsi rovinare la serata preparandosi al meglio. Come da tradizione, le sue pupe avrebbero indossato un vestito nuovo scelto da loro stesse – unica occasione dell'anno – e lei avrebbe perso mezz'ora per sistemare i regali sotto l'albero in modo che formassero una bella composizione.

Alle otto tutto era impeccabile. Gli ingegneri in abito scuro, la cognata nel solito grigio, le cugine pastello e lei, come da prassi, in rosso Valentino. I nuovi orecchini tintinnanti sembravano fare pendant con la stella dell'albero.

L'unica vera preoccupazione gliela dava l'anatra all'arancia, sebbene si fidasse ciecamente della sua governante istruita a dovere. Sapeva però quanto sua cognata sarebbe stata in grado di ferirla, lasciando il papero nel piatto. Ma ciò non avvenne. I complimenti giunsero all'unisono, e la cognata trovò anche lo spazio per concedere un bis, che per Elena equivaleva a un regalo senza prezzo.

Dopo il trionfo di dolci, dal bunet alla sacher, le pupe vennero accompagnate in camera – anche le cuginette avrebbero dormito in casa – perché il loro Babbo Natale sarebbe passato il mattino successivo. In salone rimasero i grandi: il nonno con la pipa, la nonna con la cipria, gli ingegneri con il sigaro, le cognate con i loro rancori personali nascosti dietro i complimenti. Dal bovindo, piazza Vittorio regalava la sua magia, con i lampioncini rassicuranti che avrebbero allietato anche il Natale più funesto.

Elena si allontanò un attimo dalla compagnia che, complice il brandy, si stava rilassando in un'amena discussione se fossero più belle le piste di Sestrière o di Montgenèvre. Guardando le luci della città ebbe un momento di malinconia: quella festa sempre uguale a scandire il tempo, con le bambine che crescevano e i mariti che non cambiavano. Respirò a pieni polmoni, quasi a prendere fiato dopo un tour de force che assomigliava a tutto fuorché a un momento lieto.

«Cara, cosa fai qui tutta sola? Vieni di là, stiamo aspettando solo te per scartare i regali...»

«Arrivo... non posso perdermi questo momento.»

«Anche perché quest'anno sono sicuro di aver scelto proprio una cosa che ti piacerà.»

Elena tornò davanti al suo albero ed ebbe un moto di orgoglio: era proprio bello. Gli ingegneri cominciarono la distribuzione dei doni leggendo il destinatario sui biglietti. I pacchi grandi, da Olympic a Rao, erano tutti per i mariti. I pacchetti del gioielliere erano per le madame. Ai nonni, invece, i cesti pieni di mostarde e altro scatolame di Paissa.

Quando Elena si appartò per aprire il consueto astuccio, sapeva già cosa l'aspettava. "Lo smeraldo, è il collier con lo smeraldo di cui gli avevo parlato, il gioielliere non può non averglielo detto, è così che funziona da anni, quasi quasi lo indosso subito, ma non vorrei mettere in imbarazzo le cugine, che chissà quando se lo potranno permettere."

Fu invece lei a essere in imbarazzo. E l'ingegnere con lei.

Dentro la scatola c'era sì un collier, ma senza smeraldo. Il pendente era di piccoli brillanti. I brillanti componevano un nome. E il nome era "Natasha".

Elena mise una mano davanti alla bocca e le guance dell'ingegnere divennero un'estensione del vestito di lei: rosso Valentino.

Il loro silenzio rimbombò a tal punto nella stanza da attrarre l'attenzione degli altri ospiti. Fu la suocera ad avvicinarsi incuriosita:

«Perché non ci fai vedere che meraviglia ti ha regalato quest'anno?»

38

Trieste fece capolino dal treno con una scia di luci.

Il golfo appariva nella sua bellezza baciato da una luna offuscata, qua e là, da nuvole veloci. Giacomo e Frida, per aggirare l'imbarazzo del loro ultimo incontro, avevano deciso di trascorrere il Natale insieme, lontano da Venezia. Lui aveva condiviso il pranzo con la signora Silvana, cercando di dissuaderla dal contattare *Striscia la notizia* per raccontare la storia della badante. Frida era stata ostaggio del pranzo familiare con genitori e parenti, la sorella, i nipoti perfetti, le domande sul suo lavoro di *private banker*, la zia che le chiede quando ti sposi. E lei a glissare sperando che l'Amarone facesse un rapido effetto.

A metà pomeriggio si era inventata una riffa con gli amici d'infanzia per poi farsi trovare alla stazione di Santa Lucia armata di una piccola borsa a tracolla: odiava i trolley con tutta se stessa. All'interno un paio di vestiti, un cambio intimo, una trousse gigantesca.

Malgrado la tentazione, Giacomo aveva evitato di contattare il direttore del Savoia Excelsior, una sua vecchia conoscenza, e si era fatto trovare una sistemazione meno impegnativa da uno dei ragazzi.

Su quell'Eurostar di passeggeri un po' tristi, all'apparenza soli o lasciati o lontani, Giacomo e Frida assomigliavano a una coppia quasi stucchevole. Mancavano le cuffie in testa e Richard Sanderson che canta *Dreams are my reality*.

I due ragazzini si guardavano più che parlare, si sfioravano anziché accarezzarsi, mentre nei loro occhi brillava una domanda: "Perché non l'abbiamo capito prima?".

In realtà, per quanto Giacomo fosse eccitato dalla situazione, non si sentiva per niente tranquillo. Era a disagio con se stesso, si sentiva in colpa per il lavoro che fino ad allora era stata la sua vita, e che improvvisamente era passato in secondo piano. E anche se aveva ritrovato la sicurezza della sua identità sessuale, non era così sicuro che quello che provava fosse realmente corrisposto.

«A cosa stai pensando?»

«A niente.»

«Non esiste *niente* con quella faccia lì.»

«Mi domandavo se posso chiederti delle cose.»

«Tipo?»

«Tipo... non lo so...»

«Vuoi sapere se mi piace ancora Rafael? No, non mi piace più, anzi. Mi ha deluso, ma è un problema mio.»

«...»

«O hai paura che lui se la prenda perché sto uscendo con te?»

«In realtà gliene ho parlato al telefono e mi è sembrato contento.»

«Allora cos'è che ti turba?»

Frida lo fissava con la confidenza che si possono prendere solo gli innamorati, quando tagliano corto e arrivano alla brutalità delle cose senza darti il tempo di argomentare con calma. Giacomo non aveva il coraggio di parlare, ma lei voleva sapere. E presto intuì.

«Ho capito, mi stai chiedendo di smettere di lavorare?»

«Diciamo che non vorrei chiedertelo, ma non riesco

a non parlartene. Anche se forse è prematuro affrontare questo discorso adesso, no?»

«Soprattutto oggi è il primo Natale in cui non mi viene da piangere.»

Mentre il treno rallentava per entrare in stazione, Giacomo sentì un nodo in gola che lo fece deglutire improvvisamente. Si era innamorato, ma era tutto difficile. I controllori, avanzando verso la testa del treno, li guardavano con una certa diffidenza, ignari della tristezza di cui erano portatori.

«Possiamo sospendere la discussione? Siamo arrivati.»

«Hai ragione. Non possiamo parlare di lavoro a Natale.»

La tirò su di peso dalla poltrona in cui si era rannicchiata – aveva freddo – e lei si lasciò fare anche se era ancora un po' mogia. Non ci voleva pensare, ma ci stava già pensando.

Appena scesi, la bora li accolse a braccia aperte, quasi con violenza. L'aria fuligginosa della laguna fu di colpo sostituita da un vento forte, che spirava dritto e deciso. Si avviarono a piedi verso l'albergo a pochi passi dalla stazione. Un tre stelle banale, con camere tutte uguali e mobili tutti chiari. Per chi, come loro, era abituato alla cura maniacale dei dettagli, ritrovarsi in un albergo di quel tipo era una sorta di piacevole trasgressione. Finalmente una parete beige, un televisore Mivar, un frigobar dotato solo di acqua, un bicchiere di plastica per lo spazzolino da denti. Docciaschiuma in bustina.

Erano quasi le sette. Il tempo di una doccia e di una passeggiata prima di cena, magari da Bepi, dove Giacomo era stato anni prima e che avrebbe voluto rivedere per respirarne i ricordi. E invece, come se non aspettassero altro, fecero l'amore.

La loro vera prima volta avvenne in un tardo pomeriggio di Natale, quando mezza Italia si butta dentro un cinema e l'altra si chiede perché ha mangiato così tanto a pranzo.

Giacomo e Frida erano riusciti a farlo senza sforzi e per la prima volta senza soldi, ed era questa la novità. La più incredula, in realtà, era lei. L'aveva presa davanti e non da dietro, come al solito. Guardava il suo ex cliente come un cieco che ha appena recuperato la vista può guardare la camera dove ha dormito per anni, e che pensava di conoscere alla perfezione.

Cercava di ricordare, inutilmente, tutte le volte che aveva avuto quel corpo sopra di sé. Lo aveva visto nudo per anni, Giacomo, ma non lo aveva mai memorizzato. Ricordava solo il bicchiere di vino con cui a volte chiudevano l'affare, e quella busta lasciata sul comò.

«Com'è che avevo dimenticato che tu fossi così bravo a letto?»

«Se credi di mettermi in imbarazzo, ti stai sbagliando di grosso.»

Le rispose mentendo. Era terribilmente in imbarazzo, ma era una vita che voleva chiudere una frase con un "ti stai sbagliando di grosso". Quello, di fatto, fu il suo regalo di Natale.

Di lì a poco ne ricevette un altro, di tutt'altra natura. Un segreto che Frida custodiva da troppo tempo e che era giunto il momento di rivelare.

«Sai, tu non sei l'unico cliente con cui ho avuto una storia.»

«?!»

«Mi è già capitato anni fa con un uomo che si chiamava Mario. Veniva almeno due volte alla settimana, era sposato, e mi piaceva moltissimo. Ero pazza di lui e forse stavo diventando pazza. Mi dava tutto ciò che volevo: piacere, protezione e divertimento. Ma vederlo due volte a settimana non mi bastava più. Così ho deciso di incastrarlo, e ho smesso di fargli usare il preservativo... i maschi non capiscono niente se gli togli il preservativo, quindi non ci ho messo tanto a convincerlo.»

«E sei rimasta incinta.»

«Al primo tentativo. Quando ho visto la striscetta cambiare colore ho fatto i salti di gioia. Ero pronta a mollare tutto per lui. Per noi. Ero pazza, lo so, ma i pazzi non lo sanno mai in tempo reale. Quando gliel'ho confessato è rimasto stranamente calmo. Mi disse che era una notizia bellissima, ma che rischiava di rovinare il nostro rapporto. Perché lui non poteva ancora lasciare la moglie e due bimbi piccoli, e sarebbe stato uno scandalo per la sua carriera. "Che futuro potremmo dare a nostro figlio?" mi diceva, e io gli credevo come una scema. Mi convinse ad abortire, dicendomi che ci avremmo riprovato non appena fosse riuscito a sistemare le cose. Se andava in porto un grosso affare con i cinesi, era fatta. Da quel momento è sparito per sempre e ha pure cambiato il cellulare.»

«E non l'hai più incontrato?»

«Una volta, al Panorama di Marghera. Ora capisci perché gli ipermercati sono la mia ossessione. Lui era con la moglie e i figli... i bimbi sono bellissimi. Mi ha guardato con un tale odio che sono dovuta correre in bagno a vomitare. Ormai è passato tanto tempo, ma non c'è giorno in cui non pensi a quel fagiolino che ho ammazzato nella mia pancia. Da quando sei comparso tu, però, è come se avessi deciso di accettare il mio errore e mi sento più serena, più leggera.»

«...»

«Ehi, tutto ok?»

«Sì, sono solo sorpreso. Ma ti sono grato per aver condiviso con me il tuo dolore. Non tutti ne hanno il coraggio.»

Gli allungò una carezza.

«Adesso però non ti voglio vedere così triste.»

«Guarda che non lo sono. Lo sembro solo perché la mia bocca va all'ingiù, lo vedi?»

Anni di solitudine, per lui, significavano giorni passati a scrutarsi allo specchio, chiedendosi cosa c'è che non va in te.

Frida avvicinò la sua fronte a quella di Giacomo.

«Senti, Mr Musuni, vorrei dirti ancora una cosa.»

«Dimmi.»

«Posso cantarti una canzone?»

«Tipo *Like a Virgin*?»

«Quello sarebbe troppo banale.»

Allora afferrò la sedia della scrivania e la mise davanti al letto iniziando a intonare «*Open your heart to me, baby*». Era perfetta. Con un po' di fantasia, una stanza a tre stelle può diventare un set di Herb Ritts con lingerie di Jean Paul Gaultier.

«Frida?»

«Sì...?»

«Lo sai che assomigli veramente a Gesù?»

«Che cretino che sei.»

«Devi credermi... l'ho realizzato solo ora. Tu e Valeria Golino siete la versione femminile di Gesù. Ma tanto, eh?»

«Ok, che ne dici se la piantiamo di dire stronzate e usciamo ad ammazzarci di cibo?»

«Ma io voglio stare qui con te.»

E così ciondolarono ancora sul letto, a raccontarsi quegli anni in cui si frequentavano senza conoscersi. Parlarono di viaggi e sacrifici, piccole manie e grandi film. Parlarono di tutto e di niente, con quella confidenza che capita solo quando si è in un letto. Lui non la baciò, ma la strinse in un abbraccio che conteneva mille frasi.

Uscirono dall'albergo che ormai era troppo tardi. Fu solo grazie agli occhi dolci di lei che riuscirono a farsi ancora servire carne alla griglia da Bepi.

La bora sembrava aver rallentato il passo, così si concessero una passeggiata in piazza Unità d'Italia, il sapore austroungarico che incontra il mare. All'orizzonte, bianco come in un film di Walt Disney, il Castello di Miramare.

I due lasciarono correre gli occhi mentre i passanti si stringevano nei cappotti, gli sguardi mesti delle sere del dì di festa. Sembrava la notte di un Natale speciale per tutti.

«Quindi per te è un problema che faccio la puttana, vero?»

«Avevi detto che a Natale non si parla di lavoro.»

«Infatti... è mezzanotte e mezzo.»

«Di già?»

«Sì, ma non cambiare discorso. Vorrei davvero sapere cosa ne pensi.»

«Penso solo che sarei ipocrita se ti dicessi che la cosa non mi disturba. Ma perché dobbiamo discuterne proprio stanotte?»

«Forse hai ragione. Stasera lasciamo le domande dentro le scatole. Le apriremo nei prossimi giorni, ma sappi che io voglio fare il possibile perché la nostra storia abbia un senso.»

«...»

«Che dici, arriviamo a piedi fino al castello o rientriamo in camera?»

Giacomo vide davanti a sé la fine sfortunata di Massimiliano e Carlotta, i loro destini infranti e la maledizione delle stanze in cui avevano dormito secoli prima. Dall'altra parte gli apparve il suo personal trainer, che lo guardava con l'asciugamano e un cronometro. Una passeggiata a quell'ora sarebbe equivalsa ad altri grassi bruciati, a una efficace riossigenazione del sangue, a glutei più sodi.

La fissò senza più dubbi. Sarebbero rientrati in camera.

39

A casa di Tamara ormai non ci speravano più, che arrivasse un fidanzato. Tutta colpa di quegli stivali bianchi, pensava la madre, e del lavoro al Tonga Bar che la metteva in contatto con gente maleducata e dedita all'alcol.

Invece lo stivale aveva colpito il bersaglio, e il bersaglio non era affatto facile. Tamara era riuscita nella sua impresa con la tecnica più efficace: innamorandosi senza rendersene conto. Una sorpresa anche per Rafael, a dir la verità, perché per la prima volta si era eccitato di testa, e questa era una novità quasi assoluta per lui. La stessa Regina lo aveva sedotto con il suo corpo, oltre che con la popolarità, e proprio per questo era stato più facile dimenticarla. O forse, per dimenticare in fretta basta avere vent'anni.

Tamara era passata a prenderlo in Cinquecento. Lui era troppo appariscente anche per i suoi gusti: i soliti pantaloni bianchi attillati, giubbotto nero con collo di pelliccia sintetica, cravattino in pelle da cowboy. Per un istante, ebbe la tentazione di dirgli qualcosa ma si rese conto che anche lei non era proprio l'Audrey di *Colazione da Tiffany*: vestito viola con volant e stivale rigorosamente bianco. Ancora un po' di trucco ed era Lady Gaga. I pochi passanti li ammiravano luccicare dentro la macchina, una nota di colore nel grigio di Trezzano.

Lei sapeva che sarebbe stato un pranzo difficile: il giorno di Santo Stefano, per la sua famiglia sicula, equivaleva al pranzo di Natale, perché era il giorno in cui anche i suoi fratelli sposati potevano tornare all'ovile anziché a casa delle suocere. Mamma Cetti tirava fuori il meglio degli avanzi – dall'insalata di polpo ai cavoli fritti – e ci aggiungeva la sua famosa "pasta alla milanisa", fatta con acciughe, finocchi e pan grattato.

Sotto il portone, a Tamara venne un po' di fifa. Forse ho bruciato le tappe, forse era meglio aspettare, forse avrei dovuto dirgli che quel pantalone non era il caso. Ma il viola del suo vestito le diede coraggio: "Se la bellezza è un reato, arrestatemi" pensò prima di citofonare "Lo Cafaro" con il solito impeto.

La porta era socchiusa. Appena Tammy l'aprì, fu un trionfo di odori e rumori, bambini che correvano intorno a un albero spelacchiato, il mobile dell'ingresso riempito di foto sui centrini. Ed eccola, Cetti, fresca di lacca, felice e preoccupata in un istante solo, l'ubiquità dei sentimenti.

«Quando mi avevi detto che era un brasiliano me l'ero immaginato più scuro... invece...»

«Invece?»

«Invece sei come noi!!!»

«Signora Concetta, forse questa luce al neon mi fa sembrare solo abbronzato... guardi che sono bello nero.»

Come un pazzo disinibito, Rafael scoprì la parte più scura di sé: la pancia. La Cetti rimase più sorpresa che delusa, mentre i fratelli di Tamara si avvicinarono accompagnati dalle mogli. La loro imbarazzata sorellina sarebbe voluta sprofondare e a nulla era valso il vestito di Lady Gaga per distogliere l'attenzione del gruppo.

Fu come al solito la signora Cetti a prendere in mano la situazione.

«Ragazzo mio, che tu sia scuro o chiaro a me non m'interessa, tanto noi la Lega non la votiamo, mio marito non vuole. Basta che mi tratti bene mia figlia e che ti piaccia la pasta alla milanisa. Per il resto, per quanto mi riguarda, puoi andare in giro come ti pare...»

«Grazie, signora Concetta.»

«Cetti, chiamami Cetti.»

«Va bene, Cetti. Tamara mi ha tanto parlato della sua pasta con i finocchi...»

Un seduttore nato. Era bastata quella frase per farlo apparire, agli occhi della Cetti, più chiaro di un norvegese. I fratelli di Tamara erano perplessi, più che dal colore della pelle, dalla foggia dei pantaloni. Ma il languorino allo stomaco e il silenzio di papà Libero fece spostare la conversazione dall'ingresso al salotto addobbato per l'occasione: un tripudio di fili, angioletti, tovaglie scolorite con decori all'agrifoglio, i piatti del servizio buono.

Si sedettero all'una e mezza.

Provarono a rialzarsi che erano quasi le cinque.

La Cetti aveva fatto il terzo grado a quello che vedeva già come suo genero – sarà anche extracomunitario, ma quanto è bello quando ride? – e i fratelli, con il passare delle pietanze, cominciarono a rivolgergli qualche parola. Le peggiori erano le cognate. Pativano la pesca miracolosa di quella che ritenevano una ragazza destinata ai soli amori estivi. Per quanto timorate di Dio, anche loro ci avrebbero fatto un bel giro di giostra.

Quando arrivarono il caffè e le "sfingi" inzuppate nel miele, a Rafael venne in mente nonna Esperança – corri, Rafael, corri – che stava festeggiando senza di lui, probabilmente con gli occhi lucidi e i baci sulle foto come se fosse morto.

La persona più vicina a sua nonna, idealmente, era per Rafael il povero Zazinho. Un paio di sere lo aveva sentito piangere nel letto, in pieno attacco di *saudade* natalizia.

Rafael allora chiese a Tamara che chiese a Cetti che chiese al marito che si consultò con i figli che consultarono le mogli che alla fine dissero: «Che venga pure Zazinho».

E Zazinho li raggiunse con una torta del minimarket cinese che quel giorno – un giorno di festa! – faceva il 10% di sconto su tutti i dessert. Passarono il pomeriggio a mangiare noci, noccioline, *cassateddre* di ricotta e soprattutto a giocare a tombola. Tamara non riusciva a essere concentrata sui numeri perché pensava a quanto sarebbe stato bello sposarsi in spiaggia a Copacabana, con i fiori in testa e gli amici che le sculettano intorno. Chissà poi come avrebbe reagito sua suocera, a vedere una ragazza italiana. Ma lo sguardo di papà Libero la riportò a Trezzano, a don Vito e alla parrocchia dove sarebbe finita per dire sì. Anche se forse due settimane di fidanzamento erano poche. Ma Tamara doveva decidere subito, altrimenti non avrebbe deciso più.

«TOMBOLA!»

Fu Rafael a svegliarla dal sogno, ma solo momentaneamente, perché stava per cominciarne un altro. Appena finito di contare il bottino – quattro euro e settanta – sotto gli occhi finalmente rilassati della famiglia Lo Cafaro, Rafael le si avvicinò per sussurrarle parole che valevano più di mille regali:

«Questi li mettiamo da parte per Capodanno... ce ne andiamo a Venezia!»

«???»

«Non sei mai stata a Venezia?»

Come se lui ci avesse sempre vissuto.

«Ma Lele, a Capodanno siamo di servizio...»

«... ho parlato con il titolare, gli ho detto di noi...»

«GLI HAI DETTO DI NOI?»

«Shhh...»

«E quindi?»

«Gli ho spiegato che sono anni che lavori a Capodanno e che volevo farti una sorpresa e dopo mezz'ora di occhi tristi... mi ha detto sì.»

«!!!»

«Ce ne andiamo tre giorni a Venezia, tanto Jack ci ospita e devi vedere che figata di posto.»

Tamara stava per mettersi a piangere mentre le cognate, che con l'orecchio avevano sentito tutto, avevano le tette sotto il tavolo. Ma lei era già sulla luna e guardava ognuno da lassù. Sarebbe andata con il suo lui in una città che aveva visto solo ai telegiornali, quando arriva l'acqua alta o finisce il carnevale. Ma la cosa che più la faceva felice, era che Rafael avesse parlato con il capo, e gli avesse raccontato di loro, e lui avesse chiuso un occhio, in fondo non era un cattivo uomo, anche se Tammy si sentiva sempre un po' sfruttata, con tutti quei fuori busta in nero.

Avrebbe voluto prendere il sacchetto pieno di numeri e rovesciarli in testa alle cognate, ma forse non era il caso. In quanto vincitore della tombola, sarebbe stato Rafael a fare l'estrazione successiva. Tamara riguardò suo padre che le fece un sorriso silenzioso – approva, papà approva! MATRI MIA! – mentre Zazinho faceva ridere a crepapelle la signora Cetti.

Dopo l'impaccio iniziale, Rafael cominciò a dire i numeri a voce alta, cercando di imparare al volo i loro mille significati: le carrozzelle, la paura, il morto che parla, Cinisello Balsamo. Sì, c'era un numero che per la famiglia Lo Cafaro rappresentava Cinisello: l'autobus con cui il padre di Tamara andava a lavorare.

«*Arrimìna, Lele, arrimìna 'sti numeri!!!*»

«Arriché?»

«*Arrimìna!!!*... In siciliano significa: "Dai una mescolata"...»

Tamara guardò il suo uomo con le mani nel sacco e lo trovò terribilmente sexy. Rafael, dopo una laboriosa ricerca, estrasse il ventitré.

Lei lo guardò e alzò il braccio.

«TERNO!»

Eh, sì. Era proprio amore.

40

Ora che era di nuovo sicuro di sé, Giacomo sentì il bisogno di riallacciare i rapporti con Salvo, provarci almeno, senza temere che il tempo fosse scaduto. In fondo sapeva che anche l'altro si aspettava un chiarimento.

Dopo diversi tentativi a vuoto, chiamò il Plaza di Parigi e chiese di lui: «Salvo Brancata, *s'il vous plaît*». Lo lasciarono in attesa qualche minuto che a lui parve eterno. Alla fine gli dissero che *monsieur Brancatà* era fuori ufficio e sarebbe rientrato il giorno dopo. Presero nota del nome, Giacomo, e di un breve messaggio di auguri.

Finalmente l'aveva fatto: aveva chiesto il conto.

Appena mise giù, si sentì di colpo leggero anche se, dopo le abbuffate natalizie, si era appesantito. Di lì a poco si sarebbe ritrovato sotto un bilanciere da trenta chili, mentre Romeo lo incitava a crederci.

«Hai ancora una serie da otto, FORZA!»

«Quante?»

«Otto... dài... afferra bene ai lati, respira, concentrati. *Se no ti ghe la fa', te dago na man mi...*»

La vena sulla fronte stava per esplodere, ma a Romeo non importava nulla: «È così che si fa massa! È così!». E lui, lì, a ripensare a cosa era questa benedetta massa, e che ora toccava ai tricipiti, agli addominali, per poi morire sul tapis roulant.

L'imminente arrivo di Rafael e Tamara gli aveva scombinato l'organizzazione della locanda, presa d'assalto dai turisti chic che volevano venirsi a baciare in piazza San Marco. Giacomo non se l'era sentita di dire no, e aveva così sacrificato una coppia di americani che voleva a tutti i costi la tv satellitare. Aveva una grande voglia di riabbracciare il suo amico *do Brazil*, e di conoscere meglio quella ragazza che gli aveva regalato le sue confidenze e la drink card al Tonga Bar. Ma voleva anche condividere la gioia della sua passione per Frida, anche se temeva che i due si potessero piacere ancora. Era un dubbio piccolo e comprensibile, che ogni tanto tornava a rodergli dentro.

Se però ripensava alla magia di Trieste, Giacomo si sentiva ancora più forte: se lo erano detto, che stavano insieme, senza giurarselo, senza chiedere, come le cose belle che vanno avanti da sé. Rivedeva la scena, mentre a occhi chiusi correva sopra un tappeto meccanico, davanti a un Romeo esterrefatto dagli enormi progressi.

Di quella fuga, era rimasta anche una foto, in cima al faro. C'era una luce viola, nel cielo, l'aria gelida, ma c'erano loro, lì, loro come non erano mai stati, come non si erano mai sentiti. Frida aveva tirato fuori la digitale, aveva messo la sua testa appiccicata a quella di Giacomo, e gli aveva detto "posso?" senza aspettare la risposta.

Vennero fuori due faccioni così.

A lui, per la prima volta, non importò che espressione avesse. Pensò solo che quella era *la* foto. Che anche se ne avessero fatte altre mille, nessuna li avrebbe saputi raccontare meglio. Impacciati, felici, baciati dal sole e dal vento.

"Ma io non sono Richard Gere" si disse Giacomo, mentre il tapis roulant gli concedeva una tregua.

Aveva cercato ostinatamente di non pensarci, di vivere la sua storia ai margini, ma lo spettro dei clienti di Frida – molti dei quali erano passati dalla sua locanda – cominciava ad affacciarsi nelle sue notti stanche. Soprattutto temeva che potesse riapparire Mario, il cliente che l'aveva illusa e convinta ad abortire. Lui però non se la sentiva di porre un aut aut dopo così poco tempo.

A questo pensava, grondante di sudore, mentre Romeo aveva deciso di aumentare di nuovo la velocità. Giacomo lo guardava inebetito, come un bambino che non si fida nemmeno del papà.

Agli occhi degli altri era molto cambiato. Questa nuova fase si era manifestata anche nel rapporto che aveva con i ragazzi della locanda: addirittura una volta aveva appoggiato una mano sulla schiena di uno di loro.

I complimenti di Romeo, alla fine dell'allenamento, lo fecero sentire un piccolo eroe: a cosa serve altrimenti allenarsi, se non a regalare momenti di gloria?

Era un trenta dicembre uguale a molti altri, quando giornali e tv fanno il ripasso dell'anno, alternando i disastri ai record sportivi, senza dimenticare i parti multigemellari, il giallo dell'estate, gli attori morti e il primo cucciolo di panda rosa.

Arrivato alla locanda, vide la signora Silvana seduta in giardino, gli occhi chiusi a godersi il sole. Sembrava stanca, provata, più vicina alla morte che alla vita.

«Silvana, ti senti bene?»

«Giacomo... non ti avevo sentito. Cercavo giusto te. *I xe scampai via...*»

«In che senso?»

«Liuba e l'architetto. Se ne sono andati... lui dice che io gli sono di peso, che vogliono vivere la loro storia per conto loro... ma *ti* te rendi conto? *Lu... ga ottantacinque ani, e ga el catetere!!!*»

«Che male c'è se uno ha il catetere...»

«Non ti mettere a difenderlo, eh? Solo perché siete maschi. Il problema è che lui ha perso completamente la testa.»

«E ora dov'è?»

«Sono andati in albergo per avere un po' d'intimità. Ha usato proprio questa parola: intimità. Ma vedrai che lei gli frega i soldi, *torna al so paese, e se mete a far la signora.*»

«Scommetto che sei già andata dai carabinieri.»

«Sì, ma mi hanno detto che non ci posso fare niente. E allora io ho chiamato Canale 5, ma il centralino non sapeva proprio cosa dire. *Son disperada.*»

Giacomo capì che c'era bisogno di prosecco, e ne fece arrivare subito una bottiglia. Al terzo bicchiere, ormai era una questione matematica, la signora si rilassò. Guardò Giacomo negli occhi e finalmente scorse la sua nuova luce.

«Ma parliamo di te... non so cosa ti è successo, o almeno credo di saperlo ma tu sei troppo timido per parlarmene.»

«Su, coraggio, vediamo se hai indovinato.»

«*Secondo mi ti sito inamorà... e so anca de chi.*»

«Non avevo dubbi, Silvana. Sei troppo avanti.»

«A me quel ragazzo è piaciuto subito.»

«Quel ragazzo?»

Giacomo si rivide a Milano, davanti al Park Hyatt con il suo amico direttore.

«Rafael... ho capito subito che avevate un feeling. *E pò... ti che ti ciapi e ti va' a Legnano...*»

«A Trezzano...»

«*... lu che torna a portarte el bancomat... va ben che son vecia... ma no son miga sema...!* Ed è inutile che tenti di depistarmi con *quela fantolina.*»

«La fantolina si chiama Frida, e ci stiamo cominciando a frequentare, cara Silvana, che tu lo creda o no.»

Non gli credette, ma gli sorrise. Malgrado le solitudini, malgrado una vita che avrebbe potuto essere sicuramente migliore, la signora Silvana era una persona che stava bene con se stessa. Se si escludono la sua avversione per Buzzati – *par mi no se pol leser* –, l'odio per la badante, la passione per i necrologi, era una persona tranquilla.

Il suo volto era di nuovo così sereno che Giacomo non riuscì neanche ad arrabbiarsi, sebbene queste insinuazioni cominciassero a urtarlo, perché sapeva che nascondevano un fondo di verità. Ma ormai era tutto superato, ed era sicuro che anche Salvo, alla fine, lo avrebbe perdonato.

«Signor Giacomo, c'è un problema...»

Fu uno dei ragazzi a interromperli.

«Dimmi tutto.»

«La signora Elena...»

«!?»

«... Elena Barsanti. Chiede una camera per domani sera. Verrebbe sola. Le ho ripetuto tre volte che siamo al completo, ma lei ha insistito perché io lo richiedessi a lei. L'ha chiamata sul cellulare stamattina, ma dice che non le risponde.»

Mise le mani in tasca e si rese conto di avere il telefono ancora nella borsa della palestra. Non sapeva cosa fare. Si era già fatto in quattro per poter ospitare anche Rafael e non se la sentiva di rimbalzare un'altra coppia di stranieri per una signora in fuga per Capodanno.

In realtà, vederla lo avrebbe messo in difficoltà.

Guardò la signora Silvana in cerca di un consiglio, ma a lei era tornata la paturnia della badante e il terrore di restare sola a vivere in quella casa. Doveva decidere da sé, e pensò di affidarsi alla corrente che in quel momento lo stava portando da tutt'altra parte.

«Scusami con lei per non averle risposto, ma ero in palestra. Per quanto mi riguarda, al momento non possiamo fare nulla qui all'Abadessa, se non segnalarle un paio di hotel nel sestiere che sono certo saranno di suo gradimento.»

Il ragazzo attese ancora qualche istante, quasi a volersi accertare che fosse la decisione finale, e Giacomo lo rassicurò senza aggiungere altro. Non poteva affrontare di nuovo Elena in un'occasione così speciale come quella di una serata con Frida, Rafael e Tamara.

In realtà era in apprensione all'idea di rivedere Rafael e Frida di nuovo vicini, ma sentì che doveva fidarsi delle loro parole. Era stata solo un'avventura sessuale – almeno per lui – finita presto e male. Di Frida doveva fidarsi per forza, anche se non riusciva a capacitarsi di che cosa potesse trovarci, lei, in un tipo che viveva rinchiuso in un hotel. Quindici anni più grande, senza molte sicurezze né troppi denari. "Probabilmente ci sono ancora persone attratte dal lato oscuro delle cose" pensava, "o forse è solo l'incoscienza a guidarle."

Il suo sguardo corse lontano, mentre la signora Silvana provava a ricordarsi qual era stato il Capodanno più bello della sua vita.

«Dov'eravamo rimasti? Ah, che tu credi che io abbia una relazione con Rafael... ti sbagli, Silvana, ti sbagli. Ma è vero che gli voglio molto bene e grazie a lui ho scoperto di poter voler bene alle persone.»

Si commosse un po' mentre lo diceva, anche per l'accumulo di emozioni che lo avevano investito.

«Io non l'ho mai dubitato. O mi stai dicendo che con me fingevi... *solo parché son vecia e sola?*»

La guardò dritta negli occhi. Allungò le sue dita su quel volto cadente e raggrinzito, dignitoso di cipria. Lo sfiorò. La signora Silvana appoggiò la sua mano su quella di Giacomo e la lasciò lì, schiacciata sulla sua guancia riscaldata dal sole. Erano anni che nessuno le aveva più fatto una carezza.

Non era ancora la notte di San Silvestro, ma per lei non c'era brindisi che valesse più di quel gesto.

41

Arrivarono alla locanda con i borsoni dei buoni benzina, carichi di ansia, sorrisi e regali. Rafael e Tamara riuscirono, in pochi minuti, a dissolvere le note di Mozart che arieggiavano nella hall mentre gli ospiti leggevano l'"Herald Tribune" dell'ultimo giorno dell'anno.

Giacomo era ancora in camera a dare baci a Frida che, per la prima volta da che si frequentavano, aveva deciso di dormire lì. Dopo esserci stata in compagnia dei suoi clienti, non avrebbe mai pensato di trascorrere, in quella locanda, una notte d'amore.

Malgrado i pensieri che l'avevano assalita nelle ultime settimane – c'è un altro lavoro che io so fare a parte questo? – era riuscita a dormire. Giacomo l'aveva cullata tutto il tempo, la testa troppo eccitata per prendere sonno. Le toccava ora i capelli, ora le braccia, ora le tratteggiava i seni che apparivano dietro la camicia da notte. Le toccava anche quella pancia che aveva custodito, in pochi mesi, la vita e la morte.

In piena notte, complice il fuso orario e l'alcol, il conte Gallina aveva chiamato da Las Vegas e lui era riuscito a rassicurarlo sul bilancio della locanda senza che Frida si svegliasse. Ma era come se, nel sonno, lei avesse sentito tutto.

«Non hai dormito, vero, caro?»

«CARO? Adesso sei tu che mi chiami caro...»

Frida scoppiò in una risata grassa e sincera, era da tanto che non lo faceva.

«Oddio scusa, volevo solo essere affettuosa. Come vuoi che ti chiami?»

«Amore. Se vuoi, Rafael mi chiama Jack.»

«Jack non è male, ma se io ti chiamo Jack poi tu pensi che mi piace ancora Rafael.»

«...»

«Vedi che avevo ragione?»

«...»

«Amore, guardami bene negli occhi. Guardami, ho detto... ecco, così. Se io non avessi incontrato Rafael, e se io non mi fossi invaghita di lui, non avrei mai conosciuto te.»

«Quindi ora posso stare tranquillo quando lo vedrai, vero?»

Si avvicinò a lui e gli salì sopra, a cavalcioni, inchiodandogli le braccia al cuscino. Per un attimo lo rivide dietro il banco della reception, ma per nulla al mondo lo avrebbe scambiato con il Giacomo che era in suo dominio, lo sguardo sfuggente, qualche pelo bianco sul petto, i polsi che vogliono ribellarsi e alla fine ce la fanno a liberarsi, e a stringerti, e a rotolarti in quel letto rimasto per troppi anni senza ospiti.

«Frida.»

«Dimmi Jack.»

«?»

«Scherzo, dài. Dimmi amore.»

«Hai avuto molti clienti in questi giorni?»

Si morse le labbra quasi a pentirsi della domanda. Frida non si arrabbiò, ma dovette trattenersi. In effetti, aveva lavorato: meno del solito, e con molta più difficoltà, ma aveva incontrato un paio di persone piuttosto generose. Si era sentita talmente a disagio che entrambi, avendola già incontrata in precedenza, le avevano chiesto se si sentisse bene. E lei aveva provato a convincerli con del sesso extra.

«Sì, ho avuto alcuni clienti. Ma è stato molto diverso dal solito.»

«Però li hai visti.»

«Sì.»

«...»

«Ti ho deluso, vero?»

«No, Frida, tu sei talmente un regalo per me, che non puoi deludermi. Ma a volte mi sento a disagio.»

«Io però vorrei chiederti una cosa...»

«Dimmi, cara. Ops... scusa!»

Per un attimo, tornarono scemi.

«Stasera ti fermi a dormire da me?»

«Nella tua alcova ai due pozzi? Speravo che me lo chiedessi.»

Stettero lì a guardarsi ancora un attimo, a frugarsi nelle mutande, mentre il telefono suonava per annunciare l'arrivo di Rafael e Tamara, che avevano rovesciato la valigia nella hall perché non trovavano i documenti per la registrazione.

Giacomo cercò di prendere tempo facendo cenno a Frida di spicciarsi, mentre con voce impeccabile chiese che gli ospiti venissero accompagnati in stanza. Li avrebbe raggiunti di lì a poco.

Dopo un istante, come al solito, Rafael era lì a gridare "SVEGLIA"! La porta, malferma, si aprì. Tamara teneva in mano un cestino di Natale con dentro spumante, torroncini, frutta secca e dolci di marzapane che le avevano mandato i parenti, e sorrideva estasiata.

La più a disagio era Frida, che si nascose subito col lenzuolo – era di nuovo Marylin – per poi correre in bagno in déshabillé.

Giacomo cercò invano di cogliere la malizia negli occhi di Rafael, che neanche a farlo apposta prese Tamara di spalle e, come un pacco dono, gliela spinse in avanti.

«Te la ricordavi Tammy?»

«Certo, mi aveva anche regalato il biglietto per non pagare la consumazione.»
«Il free drink! È una figata rivederti, Jack. Questo è per te...»
«Grazie, non dovevate.»
«Mica ci possiamo presentare "panza e presenza", come dice mia madre.»
«Capisco, ma non dovevate.»
«Scherzi, Jack?... mi sembra di stare in un sogno.»
«È la tua prima volta a Venezia?»
«Sì, ma Rafael mi ha detto che ora mi fa vedere tutto lui, che la conosce bene.»
Rafael fece subito l'occhiolino cercando di cambiare discorso. Era il solito cialtrone piacione.
«Sei sempre più in forma, vecchio mio. Si vede che la palestra ti fa bene. Che dici, ci facciamo due tiri?»
«Sarebbe bello, ma sono un po' in ritardo, devo gestire tutti gli ospiti in arrivo. Voi sistematevi in camera e poi magari fate un giro... ci rivediamo nel tardo pomeriggio, così decidiamo come preferite festeggiare stasera.»
Tamara si sentì in dovere di intromettersi.
«Ma noi vorremmo andare in piazza San Marco come si vede in televisione.»
«Bene, allora vedremo di realizzare il tuo desiderio.»
Li accompagnò alla porta, mentre sentiva Frida canticchiare sotto la doccia: «*We are one but we're not the same*». Non appena Tamara si allontanò, Rafael tornò indietro come se avesse dimenticato qualcosa.
«Sei proprio sicuro di non voler giocare un po'?»
«Credimi, oggi non ce la faccio. Magari domani sono più tranquillo.»
«Ehi Jack, sei cambiato. Ti vedo bene con lei.»
«Anche io, sai?»
«Anche tu ti vedi bene?»
«No... anche io vedo bene te con questa ragazza.»
«Sì, Tammy è fantastica.»
«E Regina?»

«È tornata in Brasile. Le mancava il codazzo di persone che ride alle tue battute anche se non fanno ridere, ma meglio così. E tu, la signora di Torino?»

«Voleva venire qui stasera, ma siamo al completo...»

Si guardarono felici, un po' dispiaciuti che quella conversazione dovesse consumarsi di fretta su una specie di pianerottolo, con la porta socchiusa e la voce bassa.

«Sai che ho ripreso a giocare?»

«Davvero? Ma è una notizia meravigliosa!»

«Sì, non te l'avevo detto per scaramanzia. Il Voluntas Trezzano mi ha fatto fare un provino... e mi hanno preso. Sono il portiere di riserva.»

«E il polso?»

«Ho fatto le visite ed è a posto. Guarito completamente.»

Ma la voce di Rafael si era affievolita lungo le scale, e lui sparito con lei.

Giacomo rientrò in camera e solo rivedendosi allo specchio si rese conto di essere in pigiama e T-shirt. Ne approfittò per fare il bicipite alla Braccio di Ferro proprio mentre Frida usciva dal bagno sul punto di dire "Oh Popeye". Si avvicinò perplessa al cestino infiocchettato e iniziò a rompere il cellophane per rovistare nel contenuto.

«Ma secondo te qualcuno la mangia ancora la frutta secca? A me fa go-mi-ta-re.»

«Vomitare, semmai.»

«Io ho sempre detto "gomitare". "Gomitare" con la "G" di Genova.»

«Se sei contenta tu... comunque la frutta secca non fa "gomitare".»

«Non ti credo. Tu sei uno da frutta fresca, non da fichi secchi.»

In effetti, gli facevano schifo. Lasciò comunque perdere perché gli stava di nuovo salendo l'eccitazione. Trovarono così il tempo per l'ultima sveltina dell'anno, recitata senza pudori né timori.

«Allora, sei più tranquillo riguardo a Rafael?»
«Sì... scusami.»
«E di che? Quello che provi è normale.»
«Ti posso confessare un segreto, Frida?»
«Spara.»
«Oggi sono veramente contento.»
«E io posso rubarti il segreto?»
«Solo se sei contenta con me.»

Da quanto era agitato, Giacomo non riuscì neppure a regolare l'acqua della doccia. Pensò che sarebbe stato bello trascorrere quella sera anche con Salvo e la sua geisha giapponese, ma forse era meglio fare un passo alla volta.

Al piano di sotto, in una stanzetta piccola ma affrescata, anche Rafael e Tamara si stavano rotolando su un letto. Lui la spogliò lasciandole i soli stivali, perché lo mandava fuori di testa vederla così. Si ricordò di come si era sentito abbandonato in quelle stesse stanze, quando Regina era sparita dalla circolazione, senza più rispondergli al telefono. E lui a indagare e ad aspettare. Nessuna città è più frustrante di Venezia quando hai il cuore a pezzi. Ma se sei fortunato, e Rafael era convinto di esserlo, anche il cuore si può ricomporre.

42

La signora Silvana si era finalmente calmata, seduta tra Giacomo e Rafael.

Come aveva previsto, la badante era riuscita a farsi intestare un assegno da ventimila euro ed era sparita senza lasciare tracce, alla faccia del direttore di banca che l'avrebbe dovuta avvisare. L'architetto era tornato in lacrime pensando che l'avessero rapita e lei, anziché consolarlo, gli aveva detto sulla porta: «*Te sta ben... vecio bavoso*», ed era uscita piena di rabbia senza sapere cosa fare.

I due amici si erano guardati negli occhi e avevano pensato che non potevano far cenare sola una signora l'ultima sera dell'anno. Per cui, facendole gli occhi dolci a vicenda – *no me la contè giusta voialtri do* – l'avevano convinta a fermarsi per la cena a buffet in onore degli stranieri. L'architetto l'avrebbe raggiunto dopo, per fargli pesare ulteriormente quel colpo di testa sconsiderato.

Tamara sembrava un albero di Natale innevato, tanto era un trionfo di bianco e di strass; Rafael faceva pendant con lei, anche se una camicia nera interrompeva la monocromia; Frida aveva tirato fuori un abito di Armani, e Giacomo era nella sua solita divisa gessata con fazzoletto bianco nel taschino.

Mangiarono *pasticcio de pésse* e coda di rospo, annaffiati di Ribolla gialla. Alle dieci e mezzo, come da copione, un pianista accompagnò le ultime chiacchiere con note classiche.

Dopo una sosta in camera per lavarsi i denti, i quattro ragazzi provarono a convincere – ma non ne erano poi così convinti – la signora Silvana ad andare con loro in piazza San Marco.

«No, miei cari, vi ringrazio ma devo tornare dall'architetto. Quando l'ho lasciato era veramente disperato, e ora mi sento in colpa.»

«Stai tranquilla, Silvana, vedrai che gli passa.»

«E poi non verrei mai a una festa dove non ho nessuno con cui baciarmi.»

E così, a turno, in una pantomima assai apprezzata dagli ospiti della locanda – "oh-mamma-mia-bellissimo" –, tutti le lasciarono un bacio ricordo sulla guancia prima di uscire.

Giacomo, per una volta, aveva calcolato male i tempi.

Sapeva del bacio collettivo in piazza, ma lo aveva appreso soltanto dalle chiacchiere nelle calli e dal "Gazzettino di Venezia". Abituato al suo piccolo mondo antico, non si era mai reso conto di cosa significasse la sua città a Capodanno o a Carnevale, che per un veneziano erano sostanzialmente la stessa cosa: una fiumana di gente.

Malgrado le scorciatoie, malgrado l'abilità nel trovare tragitti meno battuti, arrivarono in un punto in cui si resero conto che sarebbe stato difficile raggiungere la piazza, colma come neanche per i Pink Floyd.

Erano in particolare le ragazze, improvvisamente alleate per via dei tacchi, a mostrare i primi segni di sconforto. Rafael, dal canto suo, era divertito e soprattutto fiducioso nella capacità di Giacomo di tirare fuori il coniglio dal cilindro. Ormai era tardi anche per tornare alla locanda, e poi sarebbe apparso a tutti come un ripiego o, peggio, una sconfitta. E nessuno di loro voleva perdere, quella sera: per ragioni diverse, ognuno aveva qualcosa da festeggiare.

Giacomo era nell'angolo, con la sua bottiglia di champagne in mano, e nessun posto dove andare. Gli era venuta solo un'idea.

Prese per mano Frida che prese per mano Tamara che prese per mano Rafael che avrebbe preso per mano tutti i passanti. Facendo un cenno col capo, riuscì ad allontanare l'allegra combriccola dalla piazza, portandola in direzione della Biennale. Nessuno sapeva dove stessero andando, ma tutti si fidavano di lui. Tamara si sentiva al settimo cielo. Era a Venezia con l'uomo che amava, nel casino, mentre una guida esperta la stava portando chissadove.

Mancava mezz'ora a mezzanotte.

Davanti al Danieli, Giacomo li lasciò un attimo fuori. Abbandonò ogni pudore, fece chiamare il direttore – che conosceva, anche se non si frequentavano – chiedendogli un tavolo e una cortesia.

Poco dopo vennero sistemati in una delle terrazze più belle del mondo. Davanti a loro, una notte dipinta da Van Gogh. Dietro di loro, la crema del mondo internazionale. I camerieri sgomitavano dietro Frida, che conoscevano bene, ma fecero finta di nulla.

Quando portarono il cestello per lo champagne e i calici, i fantastici quattro non ebbero quasi il tempo di capire e di prepararsi. Un attimo ed erano in piedi con i bicchieri levati, i volti sorridenti, adolescenti senza tempo.

Dieci.
Nove.
Otto.
Sette.
Sei.
Cinque.
Quattro.

Tre.
Due.
Uno.

Giacomo stappò la bottiglia, e versò da bere prima a Rafael, che aveva più fretta di tutti, poi a Tamara, poi a Frida – le fece l'occhiolino – poi si baciarono disordinatamente, poi si baciarono a coppie, e lo fecero in bocca, quasi senza inibizione. Giacomo e Frida, ovviamente, finirono prima dell'altra coppia, che aveva confuso l'evento speciale con una serata di *Scommettiamo che?*.

Intorno a loro, gli ospiti festeggiavano educati provando a socializzare con i vicini. Giacomo diede uno sguardo d'insieme per vedere se tutto era perfetto, come se si trattasse del suo hotel.

E mentre cercava di capire se a un tavolo c'era anche Bono Vox, la vide: Elena stava seduta con un ragazzo, tutta scintillante di brillanti come in un palco della Fenice.

Si scusò con Frida e la raggiunse. Il loro silenzio imbarazzato venne mitigato dal tintinnio dei bicchieri e dal vociare straniero.

«Elena, che piacere, anche tu qui. Buon anno...»

«Buon anno... ti presento il mio commesso.»

Si strinsero la mano mentre Elena, con un unico sguardo, lo rimproverava per non averle trovato una stanza, per non averla richiamata, per averla costretta a consumare quella vendetta virtuale con la sola persona di cui si fidasse: il suo unico dipendente. Lei aveva anche rinunciato a confessarsi, perché ci sperava ancora di incontrarlo, e allora tanto valeva dire tutti i peccati in una sola occasione.

«E tuo marito come sta?»

A chi non è capitato, in un momento di imbarazzo, di porre la domanda peggiore? Ma a Giacomo, ormai, non importava più.

«L'ho sbattuto fuori casa.»

«Mi spiace.»
«...»
«...»
«...»
«Allora ancora auguri, Elena.»
«Buon anno a te. E occhio che hai la cerniera dei pantaloni abbassata.»

Giacomo sprofondò agli inferi ma risalì in un attimo, e la cerniera con lui. Diversamente da Elena, che avrebbe voluto sprofondare per sempre, dopo quel commiato così indegno di lei. Ancora una volta, aveva perso. Giacomo passò a ringraziare nuovamente il direttore, tutto gongolante per i complimenti ricevuti da uno sceicco, e tornò al suo tavolo.

A cominciare da Frida, nessuno gli chiese con chi stesse parlando, anche se tutti l'avevano riconosciuta, la biondina. Tamara, in realtà, era sul punto di piangere. Durante una sosta in bagno l'avevano scambiata prima per una cameriera russa, poi per Anna Tatangelo. Ma Giacomo in un secondo la convinse che, in entrambi i casi, si trattava di complimenti: «Vuol dire che li hai colpiti» le disse, «e niente al mondo è peggio dell'indifferenza».

Rafael, nel frattempo, era al telefono con il Brasile. Dopo aver chiamato le sorelle e la nonna, non poteva non chiamare il suo mentore Armando, che come sempre si commuoveva quando sentiva il pupillo lontano. In preda all'entusiasmo, passò il telefono a Giacomo, che provò a bofonchiare qualche parola in portoghese. Dopo di che, fu la volta di Tamara. Lei, anziché avventurarsi in una lingua straniera, ripeteva sempre più forte: SPERO DI CONOSCERTI PRESTO, ARMANDO. E lui, dall'altro lato, era convinto che gli chiedesse che tempo facesse a Rio de Janeiro.

Per tutti e quattro, quella sera assomigliava più a un Natale che a un Capodanno, perché la voglia di stare insieme, di essersi trovati e ritrovati, aveva preso il sopravvento su trenini, botti, baci e brindisi.

Mangiarono qualche ostrica dimenticata sui vassoi, bevvero un paio di flûte di champagne – a Venezia non si deve guidare – e decisero di lasciare la festa dorata per buttarsi in mezzo alla calca di gente che, lentamente, si sparpagliava nella notte.

Il tempo era scaduto ma nessuno di loro voleva che finisse. Giacomo propose un giro nel Ghetto – troppo lontano – poi un giro in gondola – troppo turistico – e infine un gelato di Nico, perché ormai Elena era un ricordo passato. Il cono da passeggio sbaragliò ogni concorrente, per la gioia di Rafael e soprattutto di Tamara, che s'imbrattò di panna e cioccolata, ma era contenta così.

Si salutarono verso le due come ci si saluta alla fine di una vacanza.

«Allora la strada la sai, no?»

«Sì, vado di qua e poi seguo sempre per piazzale Roma... mi devo ricordare "Roma", la capitale d'Italia.»

«Grande Rafael, ormai sei un veneziano a tutti gli effetti.»

«Tu invece vai a dormire da Frida?»

«Sì, è la nostra prima notte a casa sua.»

«Mi raccomando, comportati bene.»

«Anche tu, amico.»

Frida e Giacomo li guardarono perdersi tra la folla, barcollanti, mentre Tamara si toglieva le scarpe perché aveva troppo male ai piedi. Erano contenti ma esausti, troppo stanchi per quella lunga giornata. Ripresero la via per Castello senza mai staccare le mani l'uno dall'altra.

Mentre Frida si struccava in bagno, Giacomo si addormentò all'istante completamente vestito. Lei decise di imitarlo, e si sdraiò accanto a lui senza togliersi quell'abito che aveva fatto voltare tutti al Danieli.

Si addormentarono così, abbracciati, come due sposi a fine serata.

43

Frida ci mise una vita a realizzare cosa era successo.

Nel panico più totale, aveva telefonato a persone che mai si sarebbe permessa di disturbare: primari, dirigenti ospedalieri – perfino sua sorella – prima che le venisse in mente il pronto intervento. Ma lei aveva bisogno di aiuto. E non sapeva come gridarlo.

Giacomo si era spento nel sonno, all'improvviso, senza apparenti disturbi, senza sintomi, senza aver bevuto troppo.

Se n'era accorta perché gli erano mancate prima le sue carezze, poi il suo respiro e infine, dopo lo sguardo preoccupato dei medici, le speranze. Era stato intubato e portato d'urgenza in quell'ospedale-museo ritratto in molti libri di architettura.

Era uscito in barella dentro il suo gessato abbottonato, la cravatta appena allentata. Solo il fazzoletto nel taschino si era spostato, forse il sonno, o le mosse maldestre del primo dottore che l'aveva soccorso.

Mentre lo caricavano, Frida aveva dovuto affrontare gli sguardi dei vicini, tutti alle finestre a farla sentire colpevole: "Lo sappiamo che sei stata tu, puttana". Era salita anche lei su quella barca, senza sapere che avrebbe accompagnato Giacomo, il suo Giacomo, per l'ultimo giro di giostra.

Di lì a poco, sarebbe entrato in coma irreversibile.
A mezzogiorno, finalmente, glielo avrebbero detto: aneurisma cerebrale. Congenito, imprevedibile, infallibile, inoperabile.

Frida rispose con un urlo sordo, la mano sulla bocca senza rossetto – era riuscita a struccarsi – e attimi di silenzio in cui ogni parola è un tuono, ogni lacrima inarrestabile. Pianse a lungo, senza contegno né vergogna, aggrappandosi alle spalle dei malcapitati medici, delle infermiere sempre abituate al dolore, ma mai abbastanza alla morte.

«Lei era la moglie?»

«No, la ragazza.»

Non lo aveva mai detto.

«Può chiamare i familiari, per informarli?»

Non li conosceva, non gliene aveva mai parlato.

«Va bene, ci penso io.»

«Vuole che l'accompagniamo a casa?»

«No, non si preoccupi. Ce la faccio.»

«È sicura?»

Frida cercò di concentrarsi per apparire lucida. Avrebbe voluto solo uscire e disperarsi, e voleva farlo da sola. Doveva riuscire a fingere ancora per pochi secondi.

Lasciò l'ospedale vestita ancora da Capodanno, mentre i turisti erano fermi a ogni ponte con le cartine aperte, i percorsi segnati. Li intravide con la coda dell'occhio, per un attimo, prima di riprendere le lacrime, mentre la bocca si muoveva al *ralenti* blaterando frasi incomprensibili.

Non sapeva esattamente dove andare, né chi chiamare, perché anche lei – in fondo – era sola.

Arrivò alla locanda dell'Abadessa in pochi minuti. Ci mise poco a piangere la verità, perché quando hai una bomba nel cuore non vedi l'ora che esploda, per far morire tutti.

I ragazzi lasciarono perdere le regole, abbracciandola prima, e mettendola a sedere poi. Per una volta, gli ospiti interruppero le loro silenti letture mostrando comprensione.

Rafael si trovava ancora in camera con Tamara, nel pieno del sonno post-felicità. Frida non ce la fece a salire e avvisarli, perché dirlo di nuovo significava confermare a se stessa che era vero, e a meno persone lo diceva, quanto più nutriva un'irrazionale speranza che qualcosa potesse ancora cambiare.

Fu uno dei ragazzi a prendersi la responsabilità e a bussare alla porta. Rafael si materializzò alla reception in un battibaleno, Tamara qualche passo indietro. Di colpo sembrò che avesse dieci anni in più.

Abbracciò Frida senza piangere, lo stomaco piccolo, provando ad aggrapparsi alla ragione per evitare una crisi isterica: «Com'è successo? Come te ne sei accorta? L'hai sentito? L'hai chiamata subito l'ambulanza?».

Ma mentre Frida rispondeva, e rispondendogli sentiva un ingannevole sollievo, Rafael pensava solo a come l'aveva salutato, la sera prima, e si chiedeva perché non l'aveva abbracciato ancora una volta, perché non si era voltato per fargli un ultimo ciao, per ringraziarlo, per dirgli quanto lo aveva fatto sentire speciale.

Si mise una mano sugli occhi e cadde sulle ginocchia, dignitoso e disperato, in quella hall dove i clienti cominciavano a fare il check out per lasciare la locanda.

Tamara, per una volta, non trovò le parole. Riuscì solo ad agire, cercando di prendere le redini della situazione, chiedendo informazioni sulla famiglia, chiedendo di avvisare il proprietario, attaccandosi a un telefono per informare i suoi genitori e il Tonga Bar.

Organizzare il funerale fu più facile del previsto.

Grazie al suo lavoro, Frida riuscì a sbrigare molte pratiche usando una corsia privilegiata: optò per la cremazione, sfruttando un cavillo burocratico per potersi impossessare delle ceneri.

Alla piccola cerimonia si raccolsero alla spicciolata una ventina di persone: i dipendenti dell'Abadessa, qualche direttore di hotel, i clienti affezionati che i ragazzi erano riusciti a contattare – ma non Elena – e gli amici più cari, compreso Romeo. In giacca e lacrime.

La più inconsolabile era la signora Silvana, che seguì l'intera funzione tenendo il cappello in mano, senza pronunciare una parola.

Tutti i ragazzi erano in cravatta nera, Rafael incluso, che aveva trovato il coraggio di entrare in camera di Giacomo e indossare l'abito con cui l'aveva visto molte volte. Accarezzò quella giacca per tutto il tempo della funzione.

Fu al momento dei saluti, che Frida e Rafael si resero conto di essere l'unica famiglia di Giacomo. Inconsapevolmente, a tutti veniva naturale andare da loro per un commiato, un ricordo, una stretta di mano.

L'ultimo ad avvicinarsi fu un uomo. Un uomo distinto, in gessato grigio, la cravatta di flanella, barba appena accennata. Gli occhi gonfi di lacrime.

Quando Salvo Brancata aveva finalmente richiamato Giacomo per fare pace col passato, gli era stata data la notizia. Lui aveva cancellato ogni appuntamento, aveva salutato la moglie giapponese ed era corso dall'unico amico per cui gli fosse battuto il cuore. Nella sua testa, Giacomo era e sarebbe rimasto un ragazzo. Il suo compagno di squadra preferito. Il suo amore della giovinezza. La spalla su cui appoggiarsi dopo una sconfitta. Perché, quando perdi, solo in pochi si ricordano ancora di te.

Rafael gli porse la mano e quando sentì *quel* nome, lo riconobbe. Era il protagonista del diario. Era l'altra metà della Polaroid. Era il fantasma e la verità.

Lo abbracciò con gli occhi di chi capisce tutto, e piansero insieme, spalla sulla spalla, da sconosciuti. Frida era troppo dolorante per pensare mentre Tamara, qualche passo indietro, capì che sarebbe dovuta sparire. Appena i due uomini si liberarono dall'abbraccio, diede un piccolo bacio a Rafael e tornò in quella locanda che le aveva dato, per pochi attimi, tanta gioia.

Salvo invece si allontanò per ritrovare contegno e lucidità. Rafael e Frida rimasero a guardarsi increduli, come se un'onda gigante li avesse travolti distruggendo tutto, e ormai restasse solo da valutare i danni. Devastanti.

«Rafael...»

«Dimmi.»

«Non è giusto.»

La fissava scuotendo la testa, cercando di trovare le parole, ma sentiva che solo il vento gelido poteva capirlo. Poteva capirli. Rimasero in silenzio, le mani intrecciate, come fratelli.

«Dove credi che potremo custodire queste... ceneri?»

«...»

«Io non voglio lasciarle qui, mi mette tristezza. E sinceramente non me la sento di portarle a casa.»

Lui si guardò intorno, in quella laguna che non gli era mai sembrata così familiare.

«Sarebbe bello spargerle da qualche parte... nel mare.»

«Ma nei canali è vietato, Rafael.»

«Niente è vietato, se lo vogliamo.»

«Giusto.»

L'azione sembrò distrarli, per un attimo, dal dolore.

«Tu hai in mente un posto, Frida?»

«...»

«...»

«Sì, ce l'ho.»

«Bene. Tu portami là e poi ci penso io... ma con noi dobbiamo far venire anche quell'uomo laggiù.»

«Lo conosci, vero?»

«Giacomo me ne aveva parlato una volta. Era il suo migliore amico.»

Presero un moto taxi tutti insieme. Frida tirò fuori il dialetto e indicò un percorso come se dovessero fare un giro turistico.

Arrivati nei pressi di Punta della Dogana, chiese al tassista di rallentare, per scattare una fotografia con il telefono. Una foto che non sarebbe più stata in grado di raccontare nulla, se non l'assenza.

E si rivide lì, la prima volta con Giacomo, a passeggiare sottobraccio, quando ancora non sapeva che la vita può essere, al tempo stesso, amore e morte. Fece un cenno a Rafael, che estrasse dallo zaino il sacchetto con quei ricordi inceneriti. Il sacchetto era però sigillato come se fosse sottovuoto. Per aprirlo, ci sarebbero volute delle forbici, che nessuno dei tre aveva. Lei provò insistentemente con le sue unghie laccate, ma niente. Il tassista attendeva paziente, voltandosi ogni tanto insospettito. Per distrarlo, Frida chiese a Salvo di mettersi in posa per una foto improvvisata. E mentre lui tirava fuori un sorriso forzato, Rafael riuscì finalmente ad aprire il sacchetto. Con i denti.

Un po' di ceneri caddero sullo scafo, ma loro finsero di non vederle. Per un attimo, sorrisero. Chiesero al tassista di riprendere il viaggio e rovesciarono insieme il sacchetto in mare.

Nell'aria, la voce di Frida cantava «*I was sad and blue but you made me feel... yeah you made me feel... shiny and new*». Salvo guardava l'acqua senza cambiare espressione, tormentandosi le unghie.

Il tassista, fortunatamente, non si accorse di nulla. Li lasciò a San Marco, come avevano chiesto, nel punto dove si erano salutati poche sere prima.

Salvo si congedò velocemente, in un gesto che a loro ricordò molto Giacomo. Non fece domande, non lasciò numeri né indirizzi. Sparì come era comparso, angelo silenzioso e ingombrante.

Di colpo, Rafael e Frida si sentirono veramente soli.

«Cosa fai adesso?»

«Non lo so, Rafael. Credo che me ne tornerò a casa.»

«Vuoi che stia un po' con te?»

«Ma no, devi andare da Tamara... si vede che ti vuole bene.»

«Mi dispiace tanto, Frida. Non riesco a dirtelo quanto.»
«...»
«Volevo anche scusarmi per come ti ho trattato l'altra volta.»
«Invece non devi.»
Rafael l'abbracciò di nuovo, più forte che mai, dicendole parole dolci in portoghese.
«Grazie ancora. Sapere che ci sei mi fa sentire meno sola. Adesso vai... la strada la ricordi, no?»
«Sì, vado di qua e poi seguo per piazzale Roma.»
«Fatti sentire ogni tanto.»
Non le rispose, ma le sorrise, facendole ciao con la mano, come se volesse farlo anche a lui, non solo a lei.
Arrivò alla locanda di corsa, per non piangere più. Uno dei ragazzi gli chiese se volesse prendere qualcosa dalla stanza di Giacomo, perché il conte Gallina aveva stabilito di sgomberarla per farne una nuova camera per gli ospiti.
Salì come se avesse il presentimento che ormai fosse troppo tardi. In effetti, la stanza non era più la stessa da quando era entrato per prendere giacca e cravatta. Ogni cosa era stata riposta dentro gli scatoloni, scatoloni che Giacomo non avrebbe mai sistemato così.
Solo lo scrittoio era rimasto intatto, con il suo piccolo disordine, il quaderno nero, le penne e le carte. Come se nessuno avesse avuto il coraggio di metterci le mani.
Sfogliò quel quaderno che aveva conosciuto bene, ma non ebbe il coraggio di rileggere nemmeno una riga. A Giacomo non avrebbe fatto piacere. Si guardò intorno spaesato. Da uno scatolone vide spuntare un pacchetto con un post-it che diceva: "Per Lele".
Lo aprì senza preamboli né gioia, come una persona che cerca solo la verità. Dentro, due guanti di pelle. Da portiere. Cominciò allora a cercare disperatamente un biglietto – voleva un saluto ufficiale – rovescian-

do tutti gli scatoloni, mettendo a soqquadro la stanza, senza trovare nulla.

Non gli rimase che provare i guanti. Erano perfetti.

Un tonfo strano e familiare proveniva dall'esterno.

Aprì la finestra, e sentì il solito ragazzino che giocava a pallone tutto solo. Gli fece un fischio e scese a parare qualche rigore.

Ringraziamenti

Ho scritto questo libro in molti luoghi – Torino, Roma, Trequanda e Porto Pino – e in nessun lago. Il prossimo, mi piacerebbe scriverlo su un lago (tipo il lago d'Iseo).

Ho sempre un sacco di gente da ringraziare, e mi dilungherò perché se lo meritano. Ammiro quegli autori che citano solo il capo della polizia, l'editor, la moglie e un professore della California. Io chiedo aiuto a tutti!

Il primo grazie va alle mie guide veneziane: Gaia Ravà e Pietro Gallina.

Grazie a tutti i veneziani con cui ho parlato e condiviso chiacchiere, spritz e cicchetti: la signora Silvana (quella vera), i 40 ladroni, tutti alla Residenza Abadessa e in particolare la signora Maria Luisa.

Grazie a Marcio Adami e a Kléber Felipe Passos Da Silva, per avermi fatto entrare il Brasile nella testa e nel cuore.

Grazie a Federica Damiani, Claudio Ceccherelli e Antonio Cailotto per avermi fatto entrare in hotel.

Un grazie speciale a Luca Dini, Cristina Lucchini, Daniele Bresciani, Marisa Zanatta, Silvia Stefani e tutti, ma proprio tutti, a "Vanity Fair".

Grazie a Mavi (Maria Vittoria Alba Nicolina) Scartozzi, a Mirko Nazzaro (un genio), a Elena Zabeo, a Peppe (Verdel), a Marina Mancini e agli *aficionados* di *Colazione da Tiffany*, da Fiorello a Sergio Chiamparino.

Grazie a Raffaella Roncato, Cristiana Moroni, Loredana Grossi, Barbara Gatti, Nadia Focile, Chiara Scaglioni, Mara Samaritani, Camilla Sica e *tutti* in Mondadori Milano-Roma (W la mensa di Segrate! W il pollo!).

Grazie a Eros, Vasco, Laura, Tiziano, Lorenzo, Alessandra e Giuliano per la colonna sonora, e non solo.

Grazie a Sandra Piana, Pietrangelo Buttafuoco, Marco Ponti, Mirta Lispi, Alfredo Gramitto Ricci, La Pina (m'inchino), Diego Passoni, Francesca Cinelli, Giorgio e Roberta Faletti, Francesco Colombo, Alex Frank, Pia (Tuccitto), Alessio Olivieri, Ornella Tarantola, Vincenzo Sau, Luca Lovero, Laura Tonatto, Claudio Ferrante, Raffaella Lops, Salvo Nicosia, Simona Baroni e deejay Superpippo.

Grazie a Luciana Littizzetto, che è ancora più grande quando non fa ridere.

Grazie a Laura Antonelli, per l'idea della copertina.

Grazie agli amici, che sono ancora tanti.

Grazie ai lettori, agli ascoltatori, agli amici scrittori, ai complici di Facebook, Twitter e del mio blog su "Vanity". È bello sapere che non sei solo mentre corri.

Grazie ai miei genitori e al mio superfratello Marco, per il tifo sfrenato.

Infine, grazie a Domenico (Dolce) e a Stefano (Gabbana) per avermi fatto incontrare Madonna (Ciccone). Non lo dimenticherò.

P.S. Scrivere questa pagina, per me, è anche fare un punto sulla mia vita. E per dirla con Vasco, *Va bene, va bene così.*

«Siamo solo amici»
di Luca Bianchini
Oscar bestsellers
Arnoldo Mondadori Editore

Questo volume è stato stampato
presso ELCOGRAF S.p.A.
Stabilimento - Cles (TN)
Stampato in Italia - Printed in Italy